D1205808

ICE STORM

Rick Moody

ICE STORM

Traduit de l'américain
par Geneviève Blattmann

Éditions 84
84, rue de Grenelle 75007 Paris

Titre original :
THE ICE STORM

ISBN 2-277-25031-7

PREMIÈRE PARTIE

C'est l'histoire d'une famille que j'ai connue pendant mon adolescence. J'ai bien sûr un rôle dans ce récit, mais j'y reviendrai plus tard.

D'abord, la chambre d'amis. Décorée sans trop de soin, comme c'est souvent le cas. Benjamin Paul Hood se tient dans cette pièce. Dans la maison de ses voisins, Janey et Jim Williams, située à quelques pas de la sienne. Dans la plus sympathique et, en apparence, la plus paisible des banlieues. Dans l'État le plus riche du Nord-Est. Dans le pays le plus influent du monde. On vient de fêter et, aussi vite, d'oublier Thanksgiving. Trois ans tout juste se sont écoulés depuis le grand cirque commercial du bicentenaire.

L'époque n'est pas encore aux répondeurs téléphoniques, aux disques compacts ou aux disques laser. L'holographie n'existe pas encore, le câble non plus. Pas encore de cinémas multisalles, de traitements de texte, d'imprimantes laser, de modems. On est encore loin de la réalité virtuelle. Évidemment, pas de moteurs à injection, de turbos, de syndromes prémenstruels ni de centres de réhabilitation. La musique punk, et a fortiori le post-punk, le hard rock, le grunge ou le hip-hop n'ont pas vu le jour. L'époque ne connaît pas le syndrome immunodéficitaire acquis ni toutes ces mystérieuses maladies plus ou moins dérivées du sida. Pas de virus électroniques, de clonage, d'ingénierie génétique, de biosphère, de photocopies couleurs, et encore moins de transmission par fax. La perestroïka ou la place Tian'anmen ne font pas la une de l'actualité.

Tout, ou presque, fonctionnait encore comme hier. On écoutait Jimi Hendrix, Janis Joplin et Jim Morrisson, tandis que Nixon continuait d'expédier des armes en Israël. Tout se déroulait lentement, très lentement. Les pourparlers de paix de Paris avaient échoué. En septembre, Kissinger était devenu secrétaire d'État. La Chine avait rejoint les Nations unies. Nixon s'y était rendu pour une rencontre historique avec Mao. Mais, en 1972, le prix Nobel de la paix n'avait pas été décerné.

Récemment, on avait occupé les campus. A Columbia. A Berkeley. Et partout ailleurs. Angela Davis avait été acquittée et les Beatles enregistraient en solo. Les conflits s'intensifiaient dans le Cambodge neutre ; bientôt les Khmers rouges prendraient Phnom Penh et Lon Nol serait destitué. La récession économique était déjà une réalité. Et Rose Mary Woods venait *accidentellement* d'effacer dix-huit minutes et demie d'une conversation classée pièce à conviction.

Rien de tout cela, cependant — ni le Watergate et son cortège d'hypocrisie, de coercition et de surveillance, ni *Jonathan Livingston le goéland* qui venait de sortir en salle, ni l'analyse transactionnelle ou le gestaltisme —, ne troublait Benjamin Hood. Lequel attendait sa maîtresse dans l'allégresse.

Janey Williams avait quitté la chambre d'amis pour aller mettre son contraceptif. Une fausse note dans ce rendez-vous, mais Hood ne la remarqua pas. Il se demandait plutôt pourquoi, avec toutes les innovations, avec la simplicité de la pilule et la fiabilité du stérilet, Janey persistait encore à s'embêter avec ce machin en caoutchouc.

Enfin... L'attente était une forme raffinée de plaisir. Elle encourageait les fantasmes, agréables ou salaces.

Le couvre-pied écossais sur le lit témoignait des récents ébats des gosses du voisinage. Des ébats amoureux, songea Hood, un pelotage maladroit d'adolescents. Les doubles rideaux de la chambre, fins et blancs, pendaient aussi mollement que la frange d'une lycéenne déprimée. Les tiroirs de la commode ne contenaient que des boules de naphtaline et une vieille boîte de poire à lavement. Le mobilier évoquait un décor de téléfilm. Laid et provisoire. La descente de lit, par exemple : moutarde et vert bouteille. Avec des miettes rances de fromage et de crackers. Sur la table de chevet trônait une bouteille de vodka finlandaise.

Il était bien venu cent cinquante fois dans cette maison depuis que les Williams avaient emménagé. Cent cinquante fois avant de connaître ce refuge, la chambre d'amis.

Il était en même temps heureux et honteux. Il regrettait de ne pas être resté chez lui, là-bas, au bout de la rue. Mais il n'avait pas pu résister. Une façon comme une autre de se justifier. Il s'était toujours senti seul, même dans les bras de sa femme. Seul dans la foule, seul dans les réunions, seul quand il jouait avec son chien, seul quand il disputait une partie de Mastermind avec ses gosses. Seul encore pendant les longues soirées passées en compagnie de ses anciens copains d'université. Son père, qui vivait en vieux célibataire dans le New Hampshire, lui avait certainement inoculé ce sentiment de solitude. De même que les paysages ingrats de novembre renforçaient en lui cette impression. Pour des raisons qu'il ignorait et qu'il n'avait pas envie d'analyser, Janey était la seule à le distraire de cette solitude. Bien que conscient de la précarité de cette situation, il se sentit contraint de l'examiner malgré tout.

Il se planta devant le miroir posé sur la commode. Pour un type de quarante ans, il n'avait pas à se plaindre. Enfin, presque quarante ans... en mars. Encore que... Il avait la peau plutôt tendue, sur le ventre, et marbrée sur le visage. En fait il aurait eu bien besoin d'une nouvelle couche de vernis. Ses cheveux tombaient. Il les avait portés courts toute sa vie; pour être franc, il ne s'en était jamais vraiment préoccupé. Mais aujourd'hui, il n'en avait presque plus. Ses lunettes, perchées sur son nez petit et busqué, ressemblaient à des branches d'arbre mort sur une saillie de granit. Ses yeux minuscules avaient la couleur de l'antigel. On aurait dit un vieux directeur de pompes funèbres ou un représentant de commerce. Il le savait. Et il essayait de compenser par la gentillesse et la fidélité. Il essayait...

Son érection se relâchait. Sa précieuse arme de persuasion perdait de sa vigueur sous son caleçon. Depuis quelques années déjà, le désir le surprenait à des moments inopportuns : pendant les reportages télévisés sur les massacres en Asie du Sud-Est, pendant le match de boxe Frazier-Ali, à la mort d'Archibald Cox.

Hood ne se trouvait pas ici, dans cette chambre d'amis, grâce à sa nouvelle eau de toilette, ni parce qu'il était heureux et épanoui. Il était ici, se dit-il, parce qu'il y avait en lui une certaine dose de cruauté. Il était viril et magique à la fois, mystique aussi. Un chevalier. Voilà ce qu'il était. Janey Williams avait fait émerger cette facette de sa personnalité.

Il entendit le bruit de ses pas dans l'escalier. Elle descendait. Peut-être pour aller chercher quelque chose à grignoter qu'elle lui donnerait en pleine action...

Il avait donc un minimum confiance. Ce n'était pas grand-chose, mais c'était toujours mieux que rien. Il n'avait jamais vraiment eu confiance en lui. Hood était pétri de peur. Et d'angoisse. Le moindre changement dans son environnement — la faillite de la papeterie du centre-ville, par exemple, ou la mutation de Bruce Abrams dans une lointaine succursale de Shackley et Schwimmer — le plongeait dans une véritable terreur. Les menus échecs de la vie lui faisaient inexplicablement venir les larmes aux yeux. Il se rendait compte que le désir se manifestait en lui de façon plus subtile qu'à l'époque où il l'avait découvert. Le désir, désormais, ce n'étaient plus ces gros seins prisonniers d'un Cœur Croisé, mais plutôt la recherche d'un certain confort.

Le moment était peut-être venu de se servir un verre.

L'angoisse provoquait chez lui une foule de petites misères — un eczéma, léger, mais qui apparaissait sur tout son corps, souvent en hiver, et qui donnait à sa peau d'étranges marbrures orange; des hémorroïdes, car il ne pouvait soulager ses intestins qu'après une journée de travail tranquille, ce qui devenait de plus en plus rare; un ulcère du duodénum, qu'il soignait par de généreuses doses d'antiacides et par l'absorption d'aliments blancs (le riz, l'avoine, le pain, les pommes de terre, et, occasionnellement, un verre de lait ou une tranche de fromage); un gonflement des pieds qu'il s'imaginait être la goutte ; une hypertrophie notable du foie et du pancréas ; et des aphtes.

Les aphtes surtout le faisaient souffrir. Une véritable anarchie cellulaire régnait dans sa cavité buccale. Des crevasses s'ouvraient qui ne voulaient plus se refermer. Hood était constamment tourmenté. En moyenne, il en avait deux ou trois par semaine. Mais parfois il lui arrivait d'en avoir une douzaine à la fois. La plupart du temps, ces éruptions avaient coïncidé avec des moments douloureux de sa vie : pendant sa deuxième année de pension ; au cours des semaines qui avaient suivi sa rupture avec Diana Olson et avant qu'il ne commence à sortir avec l'amie de Diana qui deviendrait sa femme, Elena O'Malley ; et pendant le carême de 1971, quand il avait arrêté le tabac, le café et l'alcool.

Benjamin Hood se décernait le titre de champion toutes catégories de l'« aphtomanie ». Il en avait sur les lèvres, dans le fond de la gorge, sur la langue. Mais aussi sur les gencives, longs et étroits comme des rigoles d'irrigation.

Les agrumes, le ketchup, les épices... autant de produits contre-indiqués. De même que la parole.

Car il y avait une exigence secrète derrière cette peste, et Hood l'avait percée à jour. L'imprécision du discours, les improvisations hasardeuses... Il était préférable de se soustraire, lui et ses aphtes, à toute conversation. N'avait-il pas, jeune homme, renoncé à une carrière d'animateur radio pour le monde plus concret du marché des valeurs ? Pour ne pas avoir à ouvrir la bouche.

Ridicule. Il se rappelait encore son premier aphte, apparu au beau milieu de la Seconde Guerre mondiale et sans rapport aucun avec le fait d'avoir à prendre la parole. Il était né de souche yankee, voilà tout, né de fermiers qui passaient des journées entières sans adresser un seul mot à leurs employés, né de ces Yankees qui invitaient n'importe quel étranger chez eux pour Thanksgiving mais n'engageaient pas une seule fois la conversation.

Il n'avait pas envie de parler, c'est tout.

Où était donc Janey? Il était plus de quatre heures. Le crépuscule s'amorçait. L'angoisse l'oppressait. Il passa en revue les différents traitements et cures qu'il avait essayés au cours des années — lécithine, yaourts, vitamine B 12 à haute dose, noix et amandes, agrumes, prières à saint Christophe —, et reconsidéra les valeurs qu'il avait analysées dans la matinée pour Shackley et Schwimmer.

Les Williams avaient emménagé dans le quartier approximativement à l'époque où son fils, Paul, était entré au lycée. Ça faisait quoi? Trois ans?

Les fils Williams — Sandy, treize ans, et Mikey, quatorze — étaient un tout petit peu plus jeunes que Paul et Wendy, respectivement âgés de seize et quatorze ans, mais ils s'entendaient comme larrons en foire. Ce qui n'était pas du goût de Hood. Les gosses de Janey exerçaient une mauvaise influence sur les siens. Mike était un garçon lugubre, aussi gracieux qu'une batte de base-ball. Quant à Sandy, il lui donnait carrément la chair de poule. Silencieux. Cynique. Toujours à faire ses coups en douce. Du genre à refiler des réponses incorrectes aux copains pendant les compos de maths, pour rire! Plus tard, il aurait sûrement un magasin d'écoutes téléphoniques, de télescopes et autres appareils de surveillance. Et il espionnerait ses voisins en picolant.

Jim Williams, leur père, n'avait pas de profession bien définie. Son boulot consistait essentiellement à monter des affaires à la noix. Il avait investi très tôt dans les matériaux d'emballage en polystyrène et dans un magnétoscope qui permettait aux vedettes sportives de travailler leurs entraînements. Avec ce dernier article, Williams semblait avoir *créé un besoin*. Le magnéto lui rapporta argent et notoriété. Williams ramenait à la maison des athlètes comme Seaver et Koosman, pour le plus grand plaisir de ses rejetons. Tous les gosses du voisinage rôdaient alors dans le coin, sur leurs mobs, pour épier les superstars.

La paresse professionnelle de Williams ne semblait gêner personne d'autre que Benjamin. Lequel croyait en ces preux chevaliers, patriarches légendaires dont l'autorité était principalement, sinon exclusivement, assise sur l'intimidation. Jim Williams, quant à lui, disparaissait plusieurs semaines d'affilée pour régler ses mystérieuses affaires. Question caractère, c'était un bon gros toutou, du genre baveur et sympa, mais qui pouvait aussi se montrer veule ou menteur. Un brave type, en définitive, qui ne connaissait pas la malchance. Jamais il n'avait eu une seule mauvaise journée. Mais son crime le plus impardonnable était de délaisser sa femme.

La vodka commençait à faire son effet. Hood jeta un coup d'œil sur son pantalon bien plié, sur son cardigan à carreaux — l'un et l'autre empilés sur un fauteuil d'osier, sous la fenêtre — et se demanda s'il devait se rhabiller, si Janey attendait qu'il remette ses vêtements pour avoir le plaisir de les lui ôter de nouveau. *C'était peut-être bien ça. Une sorte de jeu érotique. Évidemment*. Comme des ados arrivant couverts de pulls et de chemises pour jouer au strip-poker. Hood ne se convertirait sûrement jamais au nudisme — de toute façon, il n'existait aucune plage pour nudistes dans le comté de Fairfield — mais il avait un tempérament de joueur.

Il n'était jamais avantageux de comparer sa femme et sa maîtresse, parce que la femme l'emportait toujours, de même que les classiques restaient indétrônables et que les grands titres du jazz produisaient des sons qu'on ne retrouvait nulle part ailleurs. Pourtant, les tubes pop du moment arrivaient parfois à s'imposer dans sa tête. Quelquefois ils évoquaient les tracas du bureau. Ou la tristesse d'un mariage raté. Sa solitude. Mais ces chansons n'étaient pas toujours aussi déprimantes... Sa femme et lui étaient plutôt bien assortis, en fin de compte. Ne serait-ce que sur le plan sexuel. D'un accord tacite, ils ne faisaient plus l'amour. Depuis près de deux ans.

La famille... quel système archaïque ! Ici, dans le Nord-Est, vous partiez avec votre maîtresse sans cesser pour autant d'aimer votre femme. Parce que vous n'aviez pas encore eu l'occasion de soigner votre maîtresse malade et que, de son côté, elle ne vous avait pas vu craquer ou crier après votre fils. Elle ne s'était pas non plus lassée de vos deux malheureuses positions philosophiques (primo : un séjour au service militaire forge le caractère et, secundo : les hommes ne devraient pas enseigner au lycée), de même qu'elle ignorait encore votre haine cachée pour certains groupes ethniques. Avec le temps, cependant, elle et votre femme finissaient par se ressembler. Il arrivait même qu'elles deviennent amies. Alors vous trouviez une nouvelle maîtresse...

Au début, Elena s'était montrée timide et belle, stoïque et intelligente. Il le savait, comme il savait que certains films demeuraient superbes parce qu'il les avait aimés dans sa jeunesse. A présent, il s'endormirait peut-être s'ils repassaient à la télé, mais ça ne l'empêchait pas de les aimer. Elena lui semblait alors inabordable.

C'était en 1956, lors d'une soirée animée par un bon orchestre de jazz, avec un batteur très connu dans la région. Une soirée où les conversations traînaient en longueur, où chacun semblait en décalage avec l'autre, où Benjie Hood noyait dans l'alcool la déception causée par son échec sentimental avec Diana Olson — laquelle dansait avec un autre quelque part dans la salle —, une soirée où, alors que la neige recouvrait les environs de Boston, Hood avait posé ses premiers jalons. Peut-être n'était-ce pas la soirée en elle-même qu'il se rappelait maintenant, peut-être se souvenait-il seulement d'une version idéalisée, mais il s'y accrochait malgré tout. Il continuait à se la raconter, encore et encore.

Il avait eu l'impression qu'Elena avait aussitôt reconnu ce qui lui ne lui plaisait pas. Ce qu'il cachait — sa désillusion, ses aphtes... —, tout cela apparaissait clairement à Elena. Peut-être Diana lui en avait-elle parlé.

Dépouillé des rituels complexes en vigueur dans la journée, il se retrouva à nu devant elle. Il ne pouvait plus cacher qu'il avait changé trop souvent d'école primaire. Qu'il était tombé d'un pont ferroviaire dans une rivière alors que son père le portait. Qu'il avait failli se noyer. Que ses parents s'étaient quittés en très mauvais termes. Il lui raconta tout. Il ne se rappelait pas aujourd'hui les mots précis qu'il avait utilisés. A vrai dire, il ne se souvenait pas de grand-chose, hormis la salle sombre, enfumée, la chaleur du tweed, la fougue du batteur, le rythme rapide des amours naissantes.

« Tu devrais lire » furent les premiers mots qu'Elena lui adressa. Des mystiques. Emanuel Swedenborg. Ou Mme Blavatsky. Elle lui lança ces noms en souriant, d'une voix légèrement moqueuse, sur le ton qu'on emploie pour dire « super, ta cravate ». Il lui en avait voulu. Il s'était senti honteux de ne pas connaître ces auteurs. Si elle avait été un homme, il lui aurait craché son scotch à la figure. Mais il avait continué à discuter, à parler de son pont ferroviaire, sans jamais se sentir réellement à l'aise avec elle, et ce malaise semblait avoir épousé leur relation depuis le départ.

Les copains d'université venaient de temps à autre se mêler à la conversation. Les danses se succédaient. De long solos de clarinette. Le batteur qui déchaînait les applaudissements en se défonçant comme si la réussite de cette soirée relevait de sa seule responsabilité.

Il pouvait se passer n'importe quoi dans le monde, disait Hood à sa future femme. Profits ou pertes. Communisme ou capitalisme. Rien n'avait plus la moindre importance. Il pouvait être reçu au stage de la Chase Manhattan Bank ou non. La destruction des bébés phoques, la situation agricole du Nord-Est... il ne savait plus quelle opinion exprimer. Tout ce qui comptait était cette superbe fille, une fille qui portait un pantalon et n'avait pas peur de fumer.

Elena ne disait rien. Elle était aussi aisée à saisir qu'un traité de théologie allemand. Mais elle ne le critiquait pas non plus. Elle n'avait fait aucune allusion à son poids, ne lui avait pas non plus ébouriffé les cheveux. Il en avait eu le cœur brisé, à la fin, de constater qu'elle écoutait, encore et toujours, sans se lasser, alors qu'il lui confiait un tas de choses qu'il aurait préféré garder pour lui.

Pour cette raison, Hood avait estimé qu'être amoureux équivalait à être redevable. Pour s'acquitter de sa dette, il épousa donc Elena O'Malley. Il avait eu ensuite la mauvaise idée de fonder une famille. Mais, à l'époque, personne n'en avait de meilleure. Pendant des années, il s'était contenté de la routine du mariage ; tous ces gestes répétitifs qui le réconfortaient comme rien jusqu'alors n'avait su le faire. Et puis cette période s'était achevée. Il avait deux gosses, une maison et une tondeuse, une Pontiac commerciale avec des portières en faux bois, une Firebird neuve et une chienne labrador répondant au nom de Daisy.

Il aimait certes sa femme et ses enfants, mais détestait toute manifestation de leur existence. Le bruit des gosses et l'abominable silence qui suivait, présageant immanquablement — toujours, et tous les jours — quelque catastrophe ou blessure, lui grignotaient la vie un peu plus à chaque fois. Il se rongeait les sangs quand son fils Paul, gamin, se curait le nez et se grattait l'entrejambe en public, ou quand sa fille faisait des avances éhontées à un garçon du *country club*. Son salaire lui aurait permis une multitude de vies, mais c'était celle qu'il s'était choisie. Il y avait maintenant dix-sept ans qu'il avait rencontré sa femme ; dans dix-sept autres années, on serait en 1990. Son fils aurait trente-trois ans et lui cinquante-six. Jusqu'à récemment encore, il avait cru que les vieux étaient nés comme ça, en portant leur croix, résignés. Aujourd'hui, il savait avec quelle facilité on basculait de l'autre côté. Son fils serait là pour le lui rappeler. En 1996, Paul aurait l'âge que lui-même avait en ce moment, trente-neuf ans, et lui entrerait dans sa soixante-deuxième année, l'âge auquel sa mère était morte. Sa femme serait sexagénaire et squelettique. Elle irait à l'église avec une régularité de métronome.

— Janey !

Hood mit sa chemise saumon sur ses épaules. Dans une main la bouteille, dans l'autre le verre. Sa vodka. Une colombe esseulée roucoulait à l'arrière de la maison. Une voiture vrombit dans Valley Road. Hood était triste. Il ouvrit la porte, l'appela. Elle lui avait juré qu'il n'y aurait personne à la maison, que Mikey et Sandy passaient la soirée avec des amis — à commettre des actes de vandalisme, sans doute, à sonner aux portes pour réveiller les braves gens — et que Jim ne reviendrait pas avant plusieurs jours. Pourtant, Hood eut l'impression d'entendre des voix.

Il battit en retraite dans la chambre et s'assit dans l'inconfortable fauteuil en osier. Il remit son pantalon et enfila ses chaussettes.

Il avait donc épousé Elena, et les gosses étaient nés en 57 et 59 ; ils avaient changé de maison puis de voiture. Pour pouvoir se payer la Corvair, en 63, Hood avait dû revendre la Jaguar qu'il avait depuis l'université. Ils marchaient à l'économie, désormais. Peut-être avait-il voulu ignorer ce que masquaient ces problèmes d'argent. Il gagnait quarante-huit mille dollars par an, sans compter les primes. Les actions d'Elena leur en rapportaient trois mille six cents. Ses propres investissements, médiocres, un peu moins. Le compte épargne. Les allocations pour les repas scolaires. L'assurance vie. (Son père avait été courtier en assurances.)

Depuis ce temps-là, il voulait une autre voiture de sport. Ces considérations le ramenèrent à sa première expérience adultère. Banale à pleurer. Il avait rencontré cette femme à la fête de Noël du bureau. Pas celle destinée aux familles, à laquelle il avait emmené les enfants, mais celle réservée au personnel.

La chose s'était faite dans une atmosphère d'urgence éthylique, de peur et de désir. Il avait éprouvé le besoin de se montrer grossier, de ne la complimenter que pour ses seins et son fessier qu'il prétendit trouver appétissants. Puis il s'enfonça dans la vulgarité comme un vautour se jette sur un morceau de charogne, se repaissant de son propre embarras. En essayant de danser un rock, il s'était renversé un verre de vin dessus, et la tache, sur sa chemise blanche, ressemblait à une blessure.

Il avait décidé de la raccompagner à son appartement du Village. Mais, au lieu de rentrer directement, il s'était retrouvé en train de la balader dans le West Side de Manhattan, sinistre quartier industriel, fréquenté à cette heure par les seules prostituées. Il avait arrêté son break non loin des abattoirs. Devant un bâtiment de stockage. Là, il avait commencé à lui raconter des histoires fabriquées de toutes pièces, des histoires d'un passé plein de vie, plein de blagues d'étudiants et d'aventures avec des filles dans des voitures de sport.

Et puis, tout simplement, il avait mis la tête sur son ventre. Frotté sa joue et son nez contre la laine de sa jupe.

— Ben, dit-elle, je t'en prie. Je n'ai même pas les yeux en face des trous. Allez...

Il n'avait rien répondu. Lui avait retiré ses sous-vêtements. Elle transpirait encore de s'être dépensée en dansant. Elle avait soupiré. Des voitures passaient, les éclairant fugacement. Il avait manœuvré autour du levier de vitesse et du frein à main pour glisser sa tête entre ses cuisses. Tout pour se sentir coupable... Bientôt, il l'avait soulevée contre lui. Elle gémissait doucement, presque en protestant.

Jamais il n'avait entendu ce genre de truc. On aurait dit une hirondelle coincée entre les griffes d'un chat.

— Ben, Ben... murmura-t-elle. Il ne faut pas faire ça ici, tu le vois bien.

Il fit semblant de comprendre qu'elle voulait aller sur la banquette arrière, et lui cogna la tête contre le rétroviseur en la faisant passer par-dessus les sièges. Il était presque au bord des larmes, à présent, mais bien décidé tout de même à aller jusqu'au bout.

— Retire ton pantalon, dit-elle. Retire-le. Je veux au moins te voir, puisque ça doit se passer comme ça.

Elle avait elle-même ouvert sa braguette sans qu'il ait eu besoin de l'aider.

Il se rappelait qu'elle s'était agenouillée devant lui. Son pantalon lui serrait les chevilles comme des menottes. Sa cravate était dénouée, et les pans de sa chemise déboutonnée battaient l'air. Il faisait froid, dans la voiture; il le voyait à son haleine.

— Viens, maintenant, dit-il. Vas-y.

Jamais encore il n'avait parlé en pleine action. Les mots lui semblaient ne pas avoir leur place dans ces moments-là. C'était comme une insulte. Comme de parler d'argent en public.

Elle s'assit sur son pénis en perte de vitesse.

Parce qu'il avait pensé à Elena, bien entendu. Comment l'éviter? Et à Paul, et à Wendy, et à leur réaction quand ils apprendraient. L'expression de honte inconsolable avec laquelle ils l'accueilleraient. Quelque chose, à cette époque, poussait Hood à se dénigrer. Il se sentait comme ensorcelé par une mélodie triste et envoûtante.

La fille s'appelait justement Melody, et elle se débrouillait bien mieux que sa femme. Elle atteignait sans problème un 7 ou un 8 sur l'échelle de Richter du sexe. Ce qui le dérangeait, chez Melody, c'était précisément ses qualités en la matière. Il pensa aux prostituées, aux partouses, aux travestis et aux sadomasos, et il éprouva le charme de l'inconnu, le charme de l'acte sexuel barbare. En se balançant sur lui, elle se cogna encore la tête. Contre le toit, cette fois. Il jouit. Et toute vie se retira de lui.

Et puis le moment bascula. L'espace d'une seconde, les odeurs lui parurent à la fois agréables et tristes. Comme après la pluie. Il la tenait dans ses bras. Melody qu'il lui faudrait revoir au bureau juste après sa semaine de sports d'hiver en famille dans les Berkshire Hills, juste après sa visite chez son père, son père esseulé. Il lui faudrait la revoir et il ne saurait pas quoi lui dire. Il aurait oublié qu'il avait été heureux, à cet instant précis, pendant quelques minutes.

— Tu veux qu'on prenne un verre ?

Il espérait qu'elle refuserait. En fait, il avait un peu peur.

— Il faut que tu ailles rejoindre ta femme, idiot, dit-elle gentiment. Si tu bois encore, on va te retrouver enroulé autour d'un lampadaire.

— Je suis capable de décider seul...

— D'accord. En attendant, moi je ne veux rien boire de plus avec toi. Même si j'apprécie ta compagnie.

Après ça, la conversation resta au point mort. Il la déposa chez elle.

Le retour fut une véritable expédition dans les zones du nord de la ville. Il conduisait n'importe comment. Le pied au plancher, il collait aux pare-chocs des autres voitures. Une fois chez lui, dans la salle de bains attenante à la chambre, il s'aspergea le sexe. Il lava les traces de son crime avec une savonnette violette.

— Qu'est-ce que tu fais ? demanda Elena d'une voix endormie alors qu'il s'essuyait.

A aucun moment elle ne sortit suffisamment du sommeil pour le voir.

— Je me brosse les dents, c'est tout, marmonna-t-il. Je ne voulais pas te réveiller.

Neuf mois plus tard, débuta sa liaison avec Janey Williams.

Ses gosses et les siens, donc, s'entendaient à merveille, ce qui rendit les choses plus faciles. Ils formaient comme une bande de Sharks ou de Jets de banlieue. Des gamins débraillés, friqués, qui s'attardaient dehors la nuit pour tirer sur les chats de la voisine, fumer de la marijuana ou se peloter. Mikey Williams et ses copains avaient commencé à s'appeler mutuellement *Charles* à tout bout de champ — c'était d'ailleurs ainsi, en partie, que Janey et Hood s'étaient rapprochés, un soir, pour en discuter. Hood avait demandé à Mikey, en le prenant soudain à part lors d'une soirée chez ses parents, ce que ce bon sang de *Charles* signifiait. Un code pour les opposants à la guerre du Vietnam ? Le surnom de Manson ? Le nom d'un parfum ? Naaan... lui avait répondu Mike en haussant les épaules. Charles, comme Charles Nelson Reilly. De *Match Game*. Celui, supposa-t-il, qui se servait d'un micro incroyablement long.

Wendy était la seule gosse du quartier qui avait un peu de plomb dans la cervelle.

Le vent hurla au coin de la maison des Williams avant de contourner la chambre d'amis pour s'engouffrer dans la vallée en contrebas, traverser la Silvermine — un ruisseau plus qu'une rivière — et se perdre dans la forêt. La météo de la veille n'était pas optimiste. Pluie, vent et froid. Elle ne s'était pas trompée. Il tombait des cordes. Une averse glacée.

Les enfants. Oui, c'est comme ça que tout avait commencé. Ils s'étaient moqués de lui, à cause de *Charles*. C'était la nuit d'Halloween et leurs gosses, sa fille et les fils Williams, mais aussi Danny Spofford, un autre ado qui habitait dans la rue, s'étaient déguisés, ainsi que tous les autres gamins du quartier, en clochards. Ils avaient trouvé des haillons, s'étaient noirci les dents et maquillés avec du goudron et de la boue, dessinant des furoncles sur leurs figures. Benjamin Hood avait remonté la rue pour aller emprunter du lait ou du jus d'orange aux Williams. Il s'était assis un moment sur le canapé près de Janey. Ils avaient discuté des costumes de leurs clochards adorés et distribué des notes. Plus le déguisement s'écartait de la réalité, plus la note était généreuse.

C'était plus ou moins la faute des gosses et d'Halloween. Du mythe de cette fête. Le carnaval du sommeil et de la mort. Les fantômes du passé, les fantômes de toutes ses erreurs peuplaient la terre, lui rappelant l'inanité de ses plus louables efforts. Ses regrets. Hood tendit l'autre joue : il permit aux gosses d'emporter de la crème à raser, du savon et des œufs dans la rue. *Allez-y*, les encouragea-t-il en riant. *Allez vous en mettre plein la gueule. Qu'est-ce que ça peut foutre, au bout du compte ?* Les gosses s'étaient figés, estomaqués.

Puis ils s'étaient précipités dehors pour aller menacer les voisins.

Le rouge à lèvres de Janey avait la couleur du chocolat.

La routine du mariage commençait à le miner. Il

avait trente-neuf ans, un crâne dégarni et des enfants qui ambitionnaient une carrière de clodo.

— Si on baisait? proposa-t-il à sa voisine en finissant son whisky à l'eau.

— Très romantique, répondit-elle. Mais je ne crois pas que tu sois libre.

— Janey... Tu sais très bien ce que je veux dire.

— Oh oui... soupira-t-elle.

— Dis-moi que je suis complètement à côté de la plaque. Dis-moi que je fantasme, rien de plus.

Janey sourit tristement. Elle avait ses problèmes, elle aussi.

Il rentra à temps pour dîner.

En repensant à cette première fois, dans la chambre d'amis, Hood reprit une gorgée de vodka.

Peut-être était-ce pour lui une façon d'honorer sa femme. Peut-être était-ce *pour elle*. Peut-être qu'il baisait pour combattre la notion même de famille, pour échapper à ses contraintes. Peut-être qu'il trompait sa femme en raison de son goût immodéré pour la beauté. Ou pour s'humilier. Peut-être célébrait-il la liberté de la *nouvelle sexualité*. Peut-être était-ce pour blesser Janey Williams, ou son mari à travers elle — ils étaient plus beaux que lui, plus à l'aise. Peut-être était-ce son mari qu'il voulait baiser, et c'était un secret horrible, un secret qu'il ne pouvait pas même s'avouer à lui-même. Peut-être voulait-il être pris en flagrant délit. Peut-être le faisait-il pour fuir son job, ses angoisses, ses misères psychosomatiques. Ou parce que ses parents, eux aussi, l'avaient fait avant lui (du moins le supposait-il) et que le besoin de tricher bouillonnait dans ses gènes. Peut-être, enfin, était-ce tout simplement parce qu'il convoitait ce qu'il ne pouvait avoir.

Après s'être livré à cette bien incomplète analyse

de l'adultère, Hood découvrit soudain une explication géniale à la disparition de Janey. Il fut certain d'en comprendre le sens. Bien sûr ! Il était censé la chercher. Partout dans la maison, tout bonnement.

S'étant versé une nouvelle rasade de vodka, il se mit en route.

— Janey ?... Janey... ?

A sa droite se trouvait la chambre de Sandy. L'abominable fils préféré de Jim et de Janey. Le petit surdoué capable de sortir de mémoire les scores de Nolan Ryan au base-ball depuis la fin des années 60, d'expliquer scientifiquement la trajectoire d'une balle courbe, et de retenir au jour le jour le nombre de morts au Vietnam. Il interdisait qu'on le prenne en photo et avait une peur bleue de l'eau.

La chambre de Sandy était chichement décorée, sans grande recherche, comme s'il s'attendait à devoir déménager à tout instant. Un fanion de Yale était punaisé au-dessus de son lit, ce qui ne contribuait qu'à faire ressortir le vide de la pièce. Il y avait une étagère remplie de livres sur le base-ball et sur les fantômes, ainsi que l'édition de 1972 du *Grand Livre des Records*. (L'homme le plus lourd du monde, Robert Earl Hughes de Monticello, Illinois, avait atteint le poids de cinq cent trente-cinq kilos. On l'avait enterré dans une caisse de piano.) Au-dessus de l'étagère, plusieurs petits aquariums pleins de cailloux colorés.

— Janey ! murmura Hood, planté au centre de cet endroit bizarrement propre et bien rangé.

Il ouvrit le placard. Du linge sale y était empilé. Cependant, pas de Janey en train de l'attendre, accroupie en petite tenue.

De retour dans le couloir, Hood se dirigea vers la chambre de Mike. Il était prêt à parier que la poignée déclencherait une alarme électronique. Le dispositif serait fixé en travers de la porte, avec des trombones et des pinces à linge, et relié à une batterie de neuf volts qu'il aurait piquée sur la porte automatique d'un garage voisin. Mike aimait les coussins péteurs et autres farces et attrapes de mauvais goût. Il lui arrivait souvent de porter un masque de Nixon.

Il affectionnait aussi les mauvais canulars téléphoniques.

— Allô ? Votre frigidaire marche-t-il ?

— Mon frigidaire ? Oui, pourquoi ?

— Parce qu'il vient juste de passer devant chez moi. AH, AH, AH !

Paul lui avait raconté cette blague un soir. Celle-là et une foule d'autres du même acabit, au cours d'une soirée d'été où le père et le fils partageaient un bon moment. Ces instants-là devenaient de plus en plus rares.

La poignée de la porte ne déclencha aucune sirène. Hood l'intrus était chez lui. Posters et tapisseries indiennes recouvraient les murs. Des tapisseries qui, à la faible lumière de la lampe de chevet que Hood venait d'allumer, apparaissaient criblées de trous de cigarette et de taches indéfinissables. Un narguilé était rangé dans un coin. Janey autorisait-elle ces pratiques ? S'il avait disposé d'un peu de temps, il aurait fait des recherches plus minutieuses. Les incontournables magazines pornos étaient sans doute cachés sous le matelas, avec les chaussettes craquantes de sperme séché. Le linge sale de Mike devait être soudé par sa semence.

Considérez la fréquence avec laquelle l'Américain moyen s'est masturbé en 1973. Cette année-là il y avait, disons, cent millions d'Américains, dont deux tiers capables d'avoir un orgasme. Au rythme d'une fois par semaine, ça fait près de trois milliards quatre cent trente-deux millions d'éjaculations dans l'année. En comptant quinze millilitres par éjaculation, on arrive à cinquante et un milliards quatre cent quatre-vingts millilitres, soit cinquante et un millions quatre cent quatre-vingt mille litres. Une vraie marée blanche. Où mettre tout ce sperme inutilisé ? Dans tout le pays, dans les banlieues, dans les régions rurales et forestières, dans les villes, les types jouissaient sous les draps, dans les éviers, sur leur propre corps, dehors, sur le bitume ou sur la pelouse. S'en trouvait-il seulement un, de temps à autre, pour envisager une manière adéquate de s'en débarrasser ?

Il avait un jour tenté d'expliquer le problème de la masturbation à son fils ; la conversation n'avait pas produit l'effet souhaité. Après avoir coincé le garçon dans sa chambre, il lui avait demandé de ne pas s'y adonner sous la douche parce que ça gaspillait l'eau et parce que tout le monde s'en douterait de toute façon, de ne pas le faire dans les draps, de ne pas prendre la lingerie de sa sœur ni aucun vêtement de sa mère, et de ne pas s'y livrer non plus en présence de leur chienne. Le mieux était de choisir le moment où la maison était vide, et d'aller dans les toilettes, où ça ne poserait aucun problème et où le produit de ses activités pourrait aller se perdre avec les autres déchets les moins reluisants de l'Amérique. S'il s'inquiétait de quelque signe de perversion dans ses habitudes, qu'il n'ait aucun scrupule et aucune gêne à venir lui en parler. Ensemble, ils compulseraient un ouvrage médical.

A la fin de ce monologue, Paul était aussi sonné que s'il avait appris la ruine de sa famille.

Tout homme désirait renoncer à la masturbation une fois pour toutes, à ces orgasmes tiédasses dont le seul intérêt résidait dans les fantasmes qu'ils encourageaient (Janey en string hypersexy lui présentant son cul). Toutefois, Hood n'avait en ce qui le concernait pas trouvé l'occasion de se débarrasser de cette manie. Il lui était même arrivé de se masturber dans le lit, à côté d'Elena. Il espérait, il comptait sur le fait qu'elle dormait pendant qu'il s'adonnait à ces humiliations nocturnes.

Quittant la chambre de Mike, il s'avança vers l'escalier et se pencha pour regarder à l'étage inférieur. Il sentit le bois froid de la rampe contre son ventre. Pourquoi persister à croire que Janey l'attendait ? Elle était partie, cela allait de soi. Il n'y avait pas d'autre explication. Elle l'avait abandonné à la fatalité de son mariage, aux aveux et aux excuses malhabiles. La pluie tambourinait contre les vitres du premier étage. Sa maison n'était qu'à cinq cents mètres de là, au bout de Valley Road. Dans quelques minutes, s'il le souhaitait, il pourrait s'asseoir devant un bon feu dans la bibliothèque, le regard perdu sur les flammes.

Il se dirigea vers la salle de bains des Williams. Un dernier coup d'œil. Un examen rapide de la pharmacie. Il voulait voir s'il y trouverait un diaphragme, voir jusqu'où elle avait poussé l'offense. Il voulait des preuves.

Où pouvait-elle être partie ? Au supermarché acheter quelque chose pour accompagner les restes de la dinde ? Ou du fard à paupières pour la réception de ce soir chez les Halford ? Et si elle était allée chez lui, pour fouiner dans sa pharmacie ?

Il se servit un autre verre et posa la bouteille de vodka sur le rebord en faux marbre beige de la baignoire. Puis il se mit à étudier les fioles et les petits pots rangés derrière le miroir : fond de teint Clarins, poudre Revlon, rouge à lèvres Max Factor (couleur chocolat), masque d'argile Helena Rubinstein, tampons Kotex, teinture Clairol (blond, car elle se décolorait les cheveux), bombe de laque, Valium, Séconal, tétracycline.

Pas de diaphragme.

Dans un tout petit coin, sur le rayon du dessus, Jim Williams avait semble-t-il réussi à placer ses quelques articles personnels. Déodorant Old Spice, crème à raser, brosse à dents. Vicks VapoRub.

C'était une salle de bains en L. Hood avala d'un trait sa vodka et plongea dans le recoin sombre où se trouvaient les toilettes et la douche. Au-dessus de la cuvette, Janey avait posé un shampooing Balsam aux herbes et l'après-shampooing assorti.

C'est là qu'elle lui avait faussé compagnie. Il la tenait enfin, sa preuve. Un porte-jarretelles en dentelle noire et des bas, négligemment enroulés sur les produits capillaires, retombaient telle une cascade de perdition et d'érotisme sur le couvercle fermé de la cuvette.

Une petite mise en scène à son intention. Hood s'émerveilla de son audace. Tout en admirant le raffinement du procédé, il passa en revue ses défauts : ses vergetures, la tache de vin sur sa cuisse gauche, le rouge à lèvres sur ses dents et le vernis écaillé de ses ongles. Elle l'avait laissé tomber dans la chambre d'amis avec son pantalon autour des chevilles. Il ressemblait désormais à un terrain de manœuvre désert, à un théâtre fermé, à un parc d'attractions abandonné. Il ne pouvait lui pardonner.

Il décrocha le porte-jarretelles de son point d'ancrage sur la bouteille de shampooing. Puis il tira brusquement le rideau de la douche, espérant une dernière fois la trouver là, souriante, grelottante, une main peut-être tendue vers lui, l'autre sur le robinet.

Cette désertion de sa maîtresse n'était pas sans le mettre dans un certain état d'excitation, il ouvrit sa braguette et utilisa le porte-jarretelles comme agent émoustillant pour compenser sa solitude — et comme tenue de soirée pour son érection. Violant ainsi de façon flagrante et éhontée les préceptes qu'il avait inculqués à son fils, il commença à se masturber. Sans perdre le nord, et sans s'interrompre, il poussa le verrou de la porte.

Cette pratique était en définitive beaucoup moins préjudiciable pour les femmes, les imaginer plutôt que les violer ou les opprimer. Hood était fier de sa propre théorie. Avant tout, il souhaitait blesser le moins de gens possible. Oui, il avait quant à lui entièrement éliminé le problème de la présence physique.

Dans les années 50, à Hartford, dans le Connecticut, où son père avait temporairement installé sa compagnie d'assurances, et où ses testicules avaient éclaté pour la première fois, il avait pu éjaculer en toute simplicité rien qu'avec le mot *seins*. Il s'était également bricolé un orifice dans un vieil oreiller en plumes. Lequel oreiller l'avait accompagné jusqu'à l'université où la profusion de seins avait comblé son imagination comme quelque pensée d'inspiration divine.

Mais les épreuves l'attendaient au tournant. Au cœur du mariage, force lui fut d'admettre que ni les seins, ni le cul, ni l'humidité volcanique qui accueillait la sienne ne l'excitaient plus. Le corps humain était devenu à peu près aussi fascinant pour lui qu'une liste de courses.

Enfin, alors qu'il atteignait la trentaine, il découvrit la vraie pornographie. Il visualisait des femmes en string ou toutes bardées de cuir. *Play-boy* était toujours à portée de sa main. (Dans l'exemplaire de ce mois-ci, il avait lu une excellente nouvelle de Tennessee Williams.) Il imaginait des articles de sex-shop. La masturbation était une vraie maladie. Mais au moins, pendant ce temps, n'avait-il pas besoin de penser. Au moins était-il assuré de passer un moment sans Benjamin Paul Hood et ses responsabilités fiscales, sans la pelouse, le bateau, la chienne, les factures d'électricité et les cartes de crédit, sans la situation au Moyen-Orient et en Indochine, sans Kissinger et tous les autres. Une oasis de paix.

Il poussa un grognement morose en éjaculant, avec une portée de tir inhabituelle pour sa semence qui se répandit sur le tapis de bain ainsi que sur le porte-jarretelles. A l'aide du sous-vêtement souillé, il essuya sommairement la tache sur le tapis. Puis, en soupirant, il referma sa braguette et déverrouilla la porte.

Où cacher la pièce à conviction ?

Le porte-jarretelles était une peau de serpent vide, une preuve lugubre de son échec, une sorte de Suaire de Turin. Le tenant serré en boule dans sa main, il tourna d'abord à gauche dans le couloir, puis à droite. Tel un spectre, il s'aventura dans la chambre de Janey et de Jim et posa un regard triste sur l'onde océane de leur *waterbed*.

Il envisagea de le mettre directement sur leurs oreillers, mais y renonça. Les scrupules.

Dans le couloir, cependant, il se retrouva devant la porte de Mike. Sans réfléchir, il entra dans ce sanctuaire de mort, le porte-jarretelles de la mère à la main, et le fourra au fond du placard. Le gosse ne saurait même jamais qu'il avait été victime d'un sale coup.

Ensuite, le cœur léger, avec le soulagement qui suit un accès de folie, Hood commença à descendre les marches. Il se serait volontiers laissé glisser sur la rampe, mais une sorte de pointe d'asperge en bois qui avait dû décourager des générations de gamins se dressait en fin de course. Incapable de quitter les lieux, il s'offrit une visite du rez-de-chaussée. Les flûtes de cristal, la nappe en dentelle, la chaîne hi-fi, tous les biens personnels des Williams lui appartenaient.

A la porte d'entrée, toutefois, Hood sentit sa résolution fléchir. Il était un fantôme, un imbécile, une voix de l'au-delà, un cambrioleur, et il était temps pour lui de se regarder en face. Sa femme se souciait comme d'une guigne de ses allées et venues, sa maîtresse l'abandonnait dans sa propre maison, ses gosses ne lui parlaient plus. Seule la porte de derrière était appropriée pour Benjamin Paul Hood. Il sortirait par l'entrée du personnel, sur la pointe des pieds. Comme un plombier, un voleur.

C'est alors que, du haut des marches menant au sous-sol, il entendit des rires. Des rires d'adolescents. Les rires impitoyables, amers, revanchards de la trahison et de la désillusion.

Une seule sortie possible, pour lui. Une seule !

La ville de New Canaan n'était déjà pas grande, mais au fil des années Wendy avait l'impression de la voir rétrécir. Elle était peut-être en train de disparaître. Bientôt, on pourrait l'examiner avec un de ces microscopes pour débutants, comme celui que la famille offrait régulièrement à Paul pour son anniversaire. A côté de New Canaan, une fourmi devenait Cadillac ou destroyer, une mouche se changeait en bombardier lourd.

Une fois, elle s'était légèrement coupé le poignet — une égratignure, rien de plus : manches longues pour aller à l'école et tout le monde n'y avait vu que du feu — pour pouvoir étudier son propre sang sous la lunette. Elle y avait découvert sans surprise l'habituel trafic et le stress des heures de pointe : des globules de couleur qui en dévoraient d'autres.

A New Canaan, il y avait un lycée, un collège et quatre écoles primaires. Ce qui voulait dire que, à l'âge où on entrait au collège, on connaissait déjà tous les gens de son âge. C'était le cas de Wendy Hood : elle connaissait tout le monde. Il y avait aussi un cinéma. Un supermarché. Des églises, toutes protestantes. Et un désir forcené en tout New-Canaanéen d'entretenir des rapports de bon voisinage avec ses semblables.

Les filles suivaient des cours d'économie domestique et les garçons faisaient des études techniques, seuls choix possibles si les unes et les autres ne voulaient pas être couverts d'opprobre pour le restant de leur vie. Wendy détestait l'économie domestique. Elle se consolait en lui trouvant une ressemblance avec la sorcellerie. Entre les cours de cuisine et ceux de science, elle avait appris les principes de base de l'empoisonnement. Avec passion, elle imaginait envoyer un de ses proches ad patres, ou modifier son propre avenir, ou transformer l'appareil photo de son père en une sculpture torturée de métal et de plastique.

Le plus souvent, elle se traînait en jean, poncho, sabots et pulls tricotés main ; ses cheveux blonds lui chatouillaient le haut des fesses. Elle avait piqué ses tennis chez Mike's Sports deux jours plus tôt (la veille de Thanksgiving) et les chaussures neuves en cuir verni qu'elle était censée porter pour les vacances étaient désormais sagement rangées dans la boîte desdites tennis, sur l'étagère, au fond du magasin. Wendy portait en fait le même uniforme que ses copines. Ce qui ne l'empêchait pas, parfois, de rêver à de longues robes noires et moulantes. Elle avait envie de fumer du hasch et de prendre des somnifères (elle en avait repéré dans la salle de bains de ses parents). Comme tout un chacun, elle avait appris de bonne heure l'art des caresses, du moins les rudiments, en discutant avec son frère et en feuilletant un livre de sa mère *La Femme sensuelle*, mais aussi grâce à sa propre imagination. Quelquefois, tout de même, elle avait un peu de mal à comprendre les descriptions qu'on trouvait dans ce genre de bouquins.

En fait, un seul endroit dans ce village tristounet l'intéressait, et elle avait la chance de vivre à deux pas. Silver Meadow ! Un établissement psychiatrique privé. Une boîte de désintoxication, comme disait son père. Il se signalait par de petits chemins proprets, une architecture soignée, des pistes de bowling, une piscine et des saunas. Le personnel de sécurité, bienveillant, sillonnait Silver Meadow et reconnaissait en Wendy Hood une sylphide locale dont les allées et venues n'entravaient pas le processus thérapeutique.

Elle avait vu des vieux décrépits émerger de leur Mercedes ou de leur BMW. Ils portaient du daim, de la fourrure, des bracelets, ou des ensembles bien coupés ; ils s'assuraient que la portière de leur voiture était bien fermée parce que les problèmes de sécurité étaient importants pour eux. Ils essayaient de se rappeler leur place de parking et l'oubliaient systématiquement. Elle les voyait qui déambulaient comme des âmes en peine. En dehors de leur richesse, ils avaient en commun la même expression angoissée. Ils étaient couverts de vison et de bijoux, mais desséchés et abattus. Un coup de vent aurait suffi à les renverser. Et ce n'étaient pas des violents ou des criminels. C'étaient des gens normaux. Du moins aux yeux de Wendy. Pas des *serial killers* sodomisant les jeunes filles avant d'abandonner leur corps dans un ruisseau. Wendy se sentait en famille, ici, à Silver Meadow. De tout le pays, de New York, de Cleveland, d'Athens et de Dallas, de Las Vegas aussi, ils venaient pour soigner leur folie. Elle ne voulait pas abuser du bon accueil dont elle jouissait ici, mais elle aimait cet endroit bien plus que sa ville natale. Et c'est pourquoi, ce vendredi après-midi, elle y attendait Mikey Williams.

La pluie. Le type gras et souriant de la météo l'aurait qualifiée de *pénétrante*. Il y avait même eu de la grêle. Son poncho ne la protégeait pas du froid, mais elle supportait, en grelottant, parce que, si elle était très intelligente pour son âge — tout le monde le disait —, elle manquait singulièrement d'esprit pratique. Et aussi parce qu'elle préférait mourir de froid plutôt que de mettre le confortable blouson de ski rose que sa mère lui avait acheté.

Ce n'était pas avec Mike, mais avec son frère, Sandy, que ces rendez-vous avaient débuté. Sandy était un garçon instable, silencieux, et Wendy prenait plaisir à le titiller pour le choquer; elle aimait le léger embarras qu'il manifestait en sa présence, et la façon qu'il avait de l'embrasser — la bouche fermée. Elle aimait aussi sa manie de s'enfermer pour fabriquer des maquettes d'avions, ces monuments de futilité et d'ennui. Pour elle, Sandy était un challenge.

Un après-midi, elle avait réussi à le persuader de la laisser entrer dans la salle de bains avec lui. Ils avaient déjà fait pas mal de choses ensemble, comme jouer au foot ou torturer des insectes. Elle avait souvent fini ses sandwichs — jambon fumé-crème de gruyère. Même si Sandy n'était pas du genre bavard, Wendy se sentait en accord avec ce qu'il pensait.

La salle de bains du rez-de-chaussée, chez les Williams, était tapissée d'un papier velouté et printanier. Alors que Sandy baissait son short (ça se passait juste l'été dernier) et s'accroupissait sur les toilettes, elle fut frappée par son corps squelettique. Pas le moindre pli, pas une once de graisse. On aurait dit une photo du *National Geographic* représentant le sage du village, l'ascète dans toute sa splendeur.

Et puis il y avait son zizi. Pas plus gros qu'un petit doigt. Un bout de crayon trop court pour être taillé. Et pas un seul poil autour. Sandy était aussi lisse qu'un nouveau-né, aussi simple qu'une de ces peintures modernes monochromes que n'importe quel mouflet aurait été capable de barbouiller. Assis sur la lunette comme une petite fille, il commença à se soulager. Mais soudain l'énormité de la situation — le fait d'être observé pendant ce rituel privé, ce rituel de nettoyage intime — lui fit perdre les pédales. Comme si elle avait brusquement surgi dans ses rêves et découvert ses cauchemars, il se mit à l'invectiver :

— Qu'est-ce que tu veux ? Hein, qu'est-ce que t'attends ? Tire-toi ! Fous le camp d'ici !

Son visage d'ordinaire paisible devint torturé alors qu'il se levait pour se pencher vers elle. Un filet d'urine cuivrée ruissela le long de sa cuisse, rebondit sur son short safari et goutta sur le tapis. Cette fois, elle ne s'en tirerait pas par un sourire de gamine boudeuse.

Mme Williams devait avoir entendu les éclats de voix. Elle prit Wendy par l'oreille. Parce qu'elle était cool et ouverte aux idées révolutionnaires véhiculées par les « jeunes » depuis plusieurs années, la mère de Sandy s'en tint à quelques mots d'avertissement. Le corps d'une personne est son temple, dit-elle, et il lui appartient de décider ce qu'elle souhaite en faire — l'honorer, jeûner, se reposer... Comprenait-elle ? Le corps est le premier et le dernier bien d'une personne. Nous naissons seuls au monde, avait-elle continué, et nous acceptons peut-être une fois ou deux dans notre vie de partager cette solitude avec autrui. Et à l'adolescence, ce que Wendy savait sans doute déjà, notre corps nous trahit. Il se passe des choses étranges. C'est la raison pour laquelle, toujours selon Mme Williams, à Samoa et dans d'autres pays dits sous-développés, les adolescents sont envoyés dans la forêt, pieds nus, sans armes, et n'en reviennent qu'après y avoir appris quelques leçons salutaires.

Sandy, après ça, ne voulut plus la revoir. Il la détesta tout comme il détestait Mike. Wendy connaissait déjà la nature particulière de la haine qui s'exprimait entre parents proches. La haine et l'amour provenaient de la même source. Elle avait vu un jour Mike pourchasser Sandy avec un tisonnier, dans la ferme intention de lui arracher les yeux ; et le lendemain, il lui proposait spontanément de l'aider à rédiger son devoir d'histoire. Qu'ils le veuillent ou non, ils se ressemblaient, ces deux-là. En observant Sandy, elle avait découvert que le silence n'était pas toujours aussi religieux qu'on pouvait le croire. Mike et Sandy étaient semblables, sauf que Mike exprimait ce que Sandy taisait. Ils s'appelaient mutuellement *Charles* (c'était une marque de respect), et ne s'invitaient jamais dans leurs chambres respectives, mais ils s'aimaient, et quelque chose mourrait en eux le jour où ils se sépareraient vraiment.

Un exemple de leur esprit d'entreprise tordu : M. Williams avait négocié une affaire avec les chewing-gums Topps. Le Bazooka, entre autres produits de Topps, faisait partie du marché. En conséquence, les Williams se retrouvèrent avec plusieurs caisses de Bazooka qu'ils entreposèrent dans leur sous-sol. Mike et Sandy n'avaient qu'à se baisser pour remplir leurs poches de ces Bazooka, qui constituaient une sorte d'étalon-or au lycée Saxe et dans les autres écoles de New Canaan. Mike, en les troquant, réussit ainsi à compléter sa collection de cartes de base-ball des Mets (ce qui ne les empêcha pas de perdre ce championnat), et obtint également une flaque de simili-vomi en plastique, un T-shirt, des pétards et de nombreuses autres babioles du même genre. Sandy s'était quant à lui contenté de vendre ses chewing-gums à un prix légèrement inférieur à celui pratiqué dans le commerce, ce qui lui permit de remplir son portefeuille. Son grand plaisir consistait à compter ses billets.

Après l'épisode de la salle de bains, Mike prit tout naturellement la place de son frère auprès de Wendy. Sandy ne voulait même plus la regarder, et il n'y avait personne d'autre à moins de trois kilomètres à la ronde avec qui elle avait envie de flirter. Sandy lui manquait, mais elle éprouvait constamment une sensation de manque, et ni lui ni personne dans Valley Road ne saurait combler ce vide au plus profond d'elle-même. C'était par le biais des chewing-gums, en fin de compte, que Mike l'avait attirée ici, dans le sous-sol. Elle avait circulé entre les caisses aussi prudemment que si elles avaient contenu des explosifs. Une telle abondance de chewing-gums la suffoquait. Quel gosse de leur âge ne serait pas prêt à tuer père et mère pour une telle quantité de Bazooka ? Et tant pis pour les caries et les visites honnies chez le dentiste. Des Bazooka ! On veut des Bazooka !

Et Mike exauça ses vœux. Il enfourna plusieurs tablettes dans sa bouche. Ensemble — épaule contre épaule, comme s'ils étaient déjà promis l'un à l'autre —, ils lurent ensuite des B.D., pliés de rire en comparant Sandy à Mort, le type qui portait toujours son col roulé relevé sur sa bouche.

— Non, sérieux, dit Mike. Tu veux des chewing-gums ?

— Évidemment, ducon. Qu'est-ce que je serais venue faire là, autrement ?

— Oh, allez... Tu te doutes bien qu'il y a autre chose. C'est... un échange de bons procédés...

— Mmmh ?

— Tu sais bien, Charles. La chatte.

Le mot tomba. Froid et glacé comme le nom d'un triste légume congelé. « Con », « chatte », « moule ». Il n'y avait pas un seul mot joli pour désigner cette partie de l'anatomie des filles, alors que tant de belles choses — les orchidées, les aurores, les étoiles — avaient de si beaux noms ! Sa chatte, si elle portait un de ces noms, aurait-elle toujours cette connotation laide et banale ?

— Tu veux la toucher, Mikey ?

Elle avait choisi la bonne approche. Directe. A cette invitation, il paniqua. Elle le vit distinctement se liquéfier. Ce jour-là, elle portait un chemisier avec des froufrous, un soutien-gorge brassière. Et un short avec des petites bretelles à fleurs. Depuis *Godspell*, les bretelles étaient à la mode. Mike n'avait certainement pas misé sur une telle coopération de sa part. Dans la tête des garçons, une fille représentait un objet de valeur qu'il fallait conquérir. Wendy était pratiquement certaine d'être la première fille de quatorze ans de tout le territoire américain à avoir compris cela.

— Qu'est-ce que je gagne, Mikey ? Si tu veux ce que tu veux, il faut y mettre le prix.

Mike gagna du temps en farfouillant dans les caisses de chewing-gums, puis rapporta deux grosses boîtes d'une des caisses et les déposa à ses pieds, comme l'aurait fait un page devant sa reine.

— C'est pas assez, dit-elle.

— Tu charries, Wendy. Mon père va le voir. Il a l'œil, tu sais...

— Il en bouffe aussi ?

— C'est pas ça, mais...

— Mikey, tu me cours sur le système. Laisse tomber. Tu m'insultes. Je veux tout. Je veux une caisse entière.

Il ne pouvait pas. Il ne pouvait vraiment pas.

Lors d'un cours de sciences sociales, dans la classe de Wendy, la prof leur avait demandé de faire un exposé sur les *dilemmes éthiques;* le problème de Mikey aurait fait un bon sujet d'étude. Wendy avait choisi pour thème l'éprouvante décision qu'avait dû prendre le président Nixon — brûler les enregistrements ou les remettre à la justice?

Ce que Mike n'avait pas réalisé alors, c'est que Wendy l'aurait fait pour rien.

A présent, en novembre, il pleuvait, il faisait un froid de canard et il était en retard. Il avait pourtant eu le temps de se changer après le foot et le loisir de venir jusqu'à Silver Meadow. Et tout le temps voulu pour se vider l'esprit et ne plus penser qu'à elle — ses cheveux dans le vent, sa façon de le serrer contre elle, très fort, sa tendresse... En été, c'était facile; un regard sur elle suffisait à lui faire oublier ses préoccupations de gamin et à le faire grandir. Le moment s'était enfin présenté, ce premier instant, au country club.

Ils se trouvaient derrière le snack-bar, sur le point de se séparer pour aller se changer dans les cabines. Une toute petite séparation, en fait. Mais elle eut soudain l'impression de perdre quelqu'un de précieux, comme si le souvenir de ses grands-parents décédés s'était brusquement évanoui ou comme si un ami mort de leucémie quand elle était enfant venait juste d'être enterré... Alors elle le prit par l'épaule et, de sa main libre, baissa le bas de son deux-pièces pour révéler son pubis à peine recouvert d'un fin duvet blond.

Parce que la ville était aussi nue qu'un visage de marbre. Parce que sa famille était froide et triste. C'est pour toutes ces raisons qu'elle s'était décidée. Car, si l'amour existait, il était enfoui trop profondément sous la routine et les convenances pour que son précieux nectar remonte à la surface. Jamais elle n'avait vu ses parents s'étreindre. Sa mère avait même, une fois, carrément nié aimer son père — d'après ses propres mots, elle l'aimait bien. Un *bien* en trop. Son père, quant à lui, prétendait que ce sujet devait être abordé dans les ateliers relationnels, au cours des cultes religieux ou dans les pensionnats de Silver Meadow, mais pas en famille. Wendy avait envie de vulgarité, de laisser-aller. Elle avait envie de jupe qu'on retrousse impudiquement, de lingerie qu'on déchire, de gémissements nocturnes, de films suédois en super-8 — *Leçons particulières* ou *Chattes en folie*. Tout et n'importe quoi, du moment que les sentiments n'en étaient pas effacés. Du moment qu'elle pouvait en apprendre un peu sur l'amour.

Retour au country club. Mike avait attentivement lorgné son anatomie — la complexité de ses replis labyrinthiques. La cacophonie ambiante évoquait un groupe de musiciens en train d'accorder leurs instruments. Elle entendait les caddies aider les golfeurs à choisir leur club, les gosses se chamailler sur le plongeoir, les mères commander des limonades pour leurs enfants. Il sentait la noix de coco. Elle sentait la transpiration et le chlore. La journée sentait le bitume brûlant.

Ensuite, Mike avait défait le nœud de son maillot marron pour exhiber son propre patrimoine. Rien à voir avec celui de Sandy. C'était une bête énorme, étalée comme un serpent endormi sur une petite toison de poils auburn. Et puis le serpent commença à se redresser comme si elle l'avait appelé par son petit nom.

— Voilà, Wendy, dit Mike.

Ils s'étreignirent. Et se séparèrent. Wendy se mit à rire, sans plus pouvoir s'arrêter.

Au cours des deux semaines qui suivirent, Mike se montra plutôt timide. Magnanime, elle lui accorda le bénéfice du doute. On était en plein Watergate. Le massacre du samedi soir. Wendy commençait à s'intéresser à cette affaire plus encore qu'au film de l'après-midi. Elle aimait voir Nixon transpirer devant les caméras et appréciait le ton implacable des journalistes.

Finalement, elle l'avait sorti de son dépôt de chewing-gums pour l'emmener au petit cimetière de Silvermine Road, où les âmes perdues du XIXe siècle dormaient paisiblement — Sereno Ogden, le capitaine Ebenezer Benedict et S.Y. St. John —, où personne jamais n'apportait de fleurs, et où les gosses venaient échanger leurs premiers baisers. Ils ne s'en privèrent pas.

Au bout d'un moment, étourdie, elle s'allongea en travers de son torse. Et il la garda contre lui. Elle pouvait sentir son érection sous son jean de velours côtelé, la bosse de son sexe tendu comme le bras du petit génie de sa classe, celui qui connaissait toutes les bonnes réponses. Ils se déshabillèrent là, dans le cimetière, leurs vêtements proprement empilés sur un mausolée, puis s'arrêtèrent net, chacun portant l'odeur de l'autre sur sa main. Ils s'arrêtèrent, c'est tout. Pourquoi? Mystère. Le cimetière, pour Mike et Wendy, inaugura la tradition de l'I.V.E. — Interruption Volontaire des Ébats.

— Où t'étais passé? lança-t-elle par-delà la pelouse détrempée de Silver Meadow.

— C'est ma mère, répondit-il en traînant son vélo. Elle sortait de la maison et moi j'étais dans l'allée en train d'essayer de remettre ma chaîne.

Alors, à cause de la pluie, je suis retourné dans le garage et...

Mike posa son doigt sur la poitrine de Wendy, au beau milieu de son poncho, et elle baissa la tête. Il lui donna une pichenette sous le menton. HA ! HA ! HA ! C'était un de ses gestes habituels.

— Je me gèle le cul, moi, ici, dit-elle.

Le jour faiblissait déjà. La neige avait remplacé la pluie. Pas tout à fait. De la neige fondue, plutôt. Mais la perspective des jeux interdits qui les attendaient l'excitait, exerçait sur elle sa magie tantrique. L'hiver ne la gênait pas. Elle se sentait capable d'endurer la neige et le froid pendant des heures, comme un super-héros.

Les Williams n'utilisaient pas leur sous-sol. Elle avait vu, dans certaines églises de la ville — congrégationaliste, épiscopalienne ou presbytérienne ; sa mère n'avait jamais su faire la différence — des petits cagibis où, juste avant la cérémonie, le prêtre revêt son habit sacerdotal, et où les objets du culte finissent par moisir. La sacristie ? C'est à ça en tout cas que lui faisait penser le sous-sol des Williams. Et c'est à ça qu'elle pensait en enfourchant la selle du vélo (Mike pédalait en danseuse).

La route montait ; ils passèrent devant sa maison à elle, cette vieille bâtisse sombre et délabrée, pleine de courants d'air et de gonds rouillés, grinçants, ancienne résidence de Mark Staples, républicain, membre de l'Assemblée législative et pasteur épiscopalien de New Canaan de 1871 à 1879.

Et ça montait, ça montait. Mike rétrograda furieusement, comme si la pente représentait un défi à sa virilité bourgeonnante.

La maison des Williams était blanche et carrée, avec des colonnes en façade. D'habitude, un drapeau américain y flottait, mais pas cet après-midi.

Des colombes roucoulaient dans le jardin qui descendait jusqu'au ruisseau (celui-là même qui passait sous la fenêtre du salon de chez Wendy). Il y avait toujours un tas de petites bêtes autour de chez Mikey — des rats musqués, des ratons laveurs, des lapins. La vie sauvage des banlieues...

Mike laissa son vélo sur la pelouse près de la porte du garage, sans s'occuper de la pluie. Ils se glissèrent dans la maison comme des voleurs, descendirent au sous-sol.

Dans le rite de leurs rendez-vous, Wendy insistait particulièrement sur le silence. Pas de bavardage inutile. Le silence était plus digne. Autour d'eux, les caisses de chewing-gums poussiéreuses évoquaient des sentinelles sans visage protégeant quelque reliquat de civilisation antique, telles les statues de l'île de Pâques. Le sous-sol était une enceinte abandonnée dans la maison des Williams. La table de ping-pong s'affaissait au milieu de la pièce comme un vaisseau délabré. Les outils électriques accrochés au mur se changeaient en instruments de torture. Un visage de femme, arraché à un magazine, était épinglé sur la cible du jeu de fléchettes.

Si Wendy était amenée à s'effeuiller, à retirer son pantalon trop large, son col roulé, ses chaussettes, il lui faudrait aussi révéler l'autre aspect de sa personnalité. Révéler à Mike la complexité de ses sentiments profonds. Mais ce n'était pas pour ça qu'elle était venue. On était à New Canaan après tout. Son idée était simplement de jouer un autre rôle, de mettre un autre masque. Le décor fut planté sur l'estrade, au fond de la pièce, sur le vieux canapé de cuir, face à la télé.

Et Wendy commença à lui dicter ses directives. Ce jour-là, il deviendrait cadre supérieur et elle, son assistante. Mike débarquait chez elle un samedi après-midi pour régler un problème — oui, c'est ça... —, un problème de stock, et il avait besoin de son aide. Il avait besoin d'elle.

— Et moi je suis là, allongée... Je suis allongée et ça ne va pas fort. Je pleure, je sanglote, même, parce que je suis toute seule, parce que mon mec est parti, ou quelque chose dans le genre, et tu arrives, tu essaies de me consoler.

— Mais...

— Je suis en pleine crise, tu vois...

A genoux, avec les gestes empruntés d'un garçon qui ne monterait jamais sur les planches de sa vie, il desserra une cravate imaginaire et posa son attaché-case contre le porte-journaux. Wendy mit un doigt sur ses lèvres et la scène commença vraiment. Dans la semi-pénombre.

Une semaine harassante venait de se terminer, songea Wendy. Les petites guerres intestines du bureau étaient finies. Il repoussa gentiment ses cheveux. Qui était-il et où avait-il appris à si bien consoler une femme? Et Dieu sait qu'elle avait besoin de réconfort... L'abandon de son mari, l'éloignement de ses enfants — on l'avait jugée irresponsable... Bientôt il ne lui resterait même plus la force de travailler. Elle n'avait plus que ses biens et la maigre pension que le juge lui avait accordée. Insuffisant pour mener le train de vie auquel elle était habituée.

— Mon ange, dit Mike, notre attente est finie.

Wendy se laissa glisser du canapé sur le sol, et sentit la vieille calculette de Sandy dans son dos. Son col roulé remonta sur son ventre, révélant un bout de peau pâle. Tout cela faisait partie de la mise en scène. Mike se pencha sur elle. Un vieux journal traînait à côté d'eux.

— On devrait peut-être allumer la télé, murmura-t-il. Au cas où quelqu'un descendrait.

— Ne sois pas bête, dit-elle.

Lui prenant la main, elle la fit remonter sur son ventre ; il se glissa sur elle. C'était une étreinte un peu désespérée. Elle allait se retrouver avec des miettes et des bestioles dans les cheveux, peut-être même des chewing-gums ; il y en avait plein collés sur la moquette.

— Parle-moi de tes projets, dit-elle. Dis-moi que tu ne partiras pas. Dis-moi que tu n'es pas comme les autres. Lis-moi les passages horribles de l'Ancien Testament. Serais-tu prêt à tuer des gens pour moi ? Me donnerais-tu ton bien le plus précieux ? Serais-tu disponible vingt-quatre heures sur vingt-quatre pour moi ? Abandonnerais-tu tes activités sportives du week-end, même le foot ? Laverais-tu mes affaires, même mes sous-vêtements ? Prendrais-tu la responsabilité de me donner la pilule ? Te ferais-tu pousser les cheveux ? Irais-tu jusqu'au Népal ?

Leurs hanches s'emboîtèrent maladroitement, comme des pièces de puzzle mal assorties. Ils se frottèrent l'un contre l'autre, avec hésitation. Elle effleura l'endroit de son jean où la chose monstrueuse avait de nouveau enflé et pointait vers sa poche droite.

— Aurais-tu tout oublié ? demanda-t-il.

— Que veux-tu dire, mon chéri ?

— Je t'ai donné du travail pour le week-end.

— Je crains de ne pas avoir compris de quoi il s'agissait. Je vais avoir besoin d'un cours particulier.

Wendy s'immobilisa. Mike était totalement entré dans la peau du cadre supérieur de ses rêves. Elle le sentait à son haleine. Sa langue avait un goût qu'elle n'avait encore jamais eu, le goût âcre du désir. Il saurait satisfaire ses besoins. Elle lui agrippa les fesses. C'étaient celles d'un jeune garçon. Des os et un jean. Rien de plus. Il lutta avec elle comme un marin avec un nœud récalcitrant.

— Allez... dit-il.

— Tu veux parler des cassettes ? Celles dont tu voulais que je m'occupe ? Tu veux que j'actionne l'avance rapide et que...

Mike grogna sourdement.

— Allez...

— J'ai bien peur qu'il n'y ait un problème. Un problème dans le traitement des bandes qui...

— Wendy... retire ton pantalon.

— Pas question. Pas avant mes quinze ans.

— Tu ne peux pas... ça ne marche pas comme ça. Il faut que tu le retires.

— Non.

Il lui saisit les poignets. Puis la lâcha. Il se redressa à genoux pour défaire sa ceinture et ouvrit sa braguette.

— O.K., dit-elle, O.K. Je toucherai ton truc, mais pas plus.

Mike baissa son jean et s'allongea de nouveau sur elle. Chair de poule. Son slip était resté accroché dans son pantalon. Il pressa son pénis sur son ventre. Elle eut l'impression de sentir une salamandre ramper sur sa peau.

Et puis la porte en haut des marches s'ouvrit.

La lumière jaillit à cet instant !... La salamandre de Mike retourna vivement dans sa cage. Le jean recouvrit les fesses nues, la chemise rentra dans le jean. Aucun soldat n'avait jamais été plus prompt à faire son paquetage. Instantané. Tous deux étaient les acteurs pathétiques d'un vieux film muet.

Intuitivement, elle savait que c'était son père qui

descendait les marches. Avant même d'entendre ses pas fatigués, méthodiques, elle sut que c'était lui. Et l'incongruité de sa présence ne la frappa que bien plus tard. Lorsqu'elle put enfin voir son visage. Mike avait déjà passé en revue toutes les stratégies, tous les alibis envisageables. Ils pouvaient toujours supposer qu'il ne devinerait pas ce qui se passait, ils pouvaient mentir, ou dire la vérité et compter sur sa compréhension. Mike choisit une quatrième option : il attrapa le journal et le feuilleta rapidement.

— *Le Rideau déchiré*, marmonna-t-il.

— Hein ?

— Le film de quatre heures et demie.

Benjamin Hood avait atteint le bas des marches avec cette sorte d'effet dramatique qui caractérise les grands moments. Mais ça sonnait faux. Il y avait quelque chose de faux dans son attitude. Il se tenait au milieu des caisses de chewing-gums, les bras croisés.

— Qu'est-ce que vous foutez ici, tous les deux ?

Il avait le visage écarlate. Pas le rouge de l'alcool, qu'elle connaissait bien, mais celui de la honte et de la colère. Wendy n'avait vu son père comme ça qu'en de rares occasions, et le souvenir qu'elle en gardait n'avait rien de plaisant.

— Qu'est-ce que tu penses qu'on fait, papa ? dit-elle.

— Ce que *je* pense ? Je pense que tu tripotes ce petit con, nom de Dieu, et qu'il essaie de te sauter. Je pense que du haut de tes quatorze malheureuses années, tu t'apprêtes à perdre ta virginité. Et je ne peux pas en croire mes yeux...

— Hé ! une minute, monsieur Hood...

Le père de Wendy, d'habitude toujours tiré à quatre épingles, s'était trompé de bouton en fermant sa chemise, de sorte que son col remontait d'un côté et s'enfonçait de l'autre dans les veines gonflées, près d'éclater, de son cou. Il happait l'air, comme s'il en avait besoin pour alimenter la diatribe qu'il adressa à Mike.

— Pas un seul mot, Mike. Je ne veux pas t'entendre. Je parlerai de cette histoire à tes parents dès que possible. Tu peux compter là-dessus, mon gars. Je ne peux pas croire que vous ayez pleinement conscience de ce que vous faites, tous les deux ! Vous devriez avoir honte, les enfants. Honte.

Connaissant Mike, Wendy savait qu'il ne prendrait pas ce sermon avec le sourire. A en juger par son air buté, il envisageait déjà une repartie cinglante. Pourquoi pas physique, pendant qu'il y était ? Si ça devait dégénérer en bagarre, elle soutiendrait sûrement Mike. Parce que son père faisait bien cinquante kilos de plus que lui et qu'il était normal de prendre le parti du plus faible.

Mais Mike baissa la tête sans dire un mot, contenant mal sa colère.

— Jeune fille ?...

Son père la détailla de la tête aux pieds.

— C'est à moi que tu t'adresses, papa ?

— A qui d'autre veux-tu que ce soit ?

— Ben alors, parle-moi normalement.

— Tes remarques insolentes ne m'intéressent pas, jeune demoiselle. Allons-y. Tout de suite. Toi et moi pourrons discuter de tout ceci en rentrant à la maison. Nous aurons le temps, nous sommes à pied.

A la perspective de rentrer à pied chez elle, Wendy commença à craquer. Les regrets s'insinuèrent, telles de vilaines couleurs dans un coucher de soleil. Elle se mit à avoir honte. Ils allaient devoir marcher pour rentrer chez eux, marcher dans cette rue de New Canaan, par un temps épouvantable, comme des gens qui n'avaient pas les moyens de payer leur crédit automobile, tout ça l'embarrassait. Le week-end s'annonçait abominable. Plein de sermons et de longs, d'insupportables silences. Elle n'en verrait jamais le bout. Toujours debout à côté de Mikey, elle enroula sa tresse sur son doigt et ravala ses larmes.

— Allons-y, répéta son père.

Elle le suivit, sans un mot, se retourna une dernière fois vers Mikey. Dans sa hâte, ce dernier avait coincé sa chemise dans sa braguette. Elle songea à ses superbes poils pubiens auburn, souples comme des cheveux de bébé, et son angoisse s'apaisa. L'amour est doux-amer. En passant, elle plongea la main dans une des caisses et en sortit une demi-douzaine de Bazooka.

— Pour le service, lança-t-elle à Mike.

Son père soupira.

Ils refermèrent la porte du sous-sol derrière eux. La nuit s'était installée. Il faisait encore plus froid que tout à l'heure. Une pluie glacée tombait horizontalement. De la neige fondue. Trempés avant même d'avoir parcouru dix mètres, ils remontèrent la rue en pestant. Wendy commença à gémir de faibles excuses à l'intention de son père, mais ce n'était pas facile. Avec la pluie et le vent, on n'entendait rien.

Un camion de la voirie passa, crachant du sable sur les congères qui se formaient déjà. La lueur jaune de son gyrophare les éclaira de sa lumière stroboscopique.

Son père lui prit rudement le bras.

— *Baby doll...* commença-t-il, et sa voix semblait surgir de nulle part. *Baby doll,* ne t'en fais pas. Je m'en fous. Franchement. Je ne suis pas sûr qu'il soit assez bien pour toi, c'est tout. On gardera ça pour nous.

Elle ne comprenait pas bien. Il avait l'air de s'excuser.

— Hein ?

— Je veux dire... c'est un rigolo. Il n'est pas sérieux. Il finira par vivre aux crochets de Janey et de Jim, tu verras. Il ne vaut vraiment pas le détour. Pas plus que sa famille.

— Papa...

Ils pataugeaient dans une mélasse noirâtre. Il neigeait avec une régularité impitoyable. Aussi bien sur Stamford et Norwalk que sur les riches quartiers de New Canaan. La neige fondue bousillait ses sabots et aussi les mocassins vernis de son père.

En même temps, de l'autre côté de la ville, elle bousillait les chaussures orthopédiques de la sœur de Dan Holmes, Sarah Joe, une des élèves de la « classe spéciale » du lycée Saxe. Le cœur de Sarah Joe était défaillant, mais elle arrivait à vivoter quand même, cahin-caha. Les copains disaient qu'elle couchait avec n'importe qui. Wendy se demandait si Sarah Joe avait quelque connaissance instinctive du sexe, si elle avait entendu parler du mythe de l'orgasme vaginal, ou si elle pressentait que ses tâtonnements sexuels seraient plus enrichissants avec quelqu'un qu'elle aimerait. Sarah Joe, qui gravissait Brushy Ridge Road dans la neige fondue, peinait sur cette colline que tous les garçons dévalaient en quatrième vitesse. Quelque part dans New Canaan, les jolies filles étaient enfermées chez elles avec leurs amours éphémères, leurs coups de foudre dont elles ne parlaient à personne. Et les cinq ou six garçons déshérités du lycée, dont les pères devraient sortir dans la neige pour labourer, regardaient la télé sur des canapés de vinyle. A travers la neige fondue, le dernier réverbère prit une teinte lugubre. Le ciel était affreux, nauséeux.

Wendy voulait savoir pourquoi les discussions n'aboutissaient jamais à rien, pourquoi les gens cessaient de s'aimer, et elle voulait une réponse avant d'être arrivée à la maison. Elle aurait aimé que son père milite contre les bombardements dans les pays lointains, prenne position en faveur de la limitation du pouvoir présidentiel, qu'il propose un projet de loi pour que tous les ados de New Canaan passent un après-midi par semaine avec la sœur de Dan Holmes, Sarah Joe, ou avec cet autre gosse, Will Fuller, que tout le monde traitait de pédé. Elle aurait souhaité que son père fasse amende honorable, qu'il lui explique sa propre confusion, son éloignement, son alcoolisme.

Aussi, quand il lui demanda si ses pieds étaient gelés et qu'il la prit dans ses bras pour couvrir les trois cents derniers mètres, pour traverser l'allée recouverte de feuilles d'érables givrées où traînait le ballon de foot dans lequel Paul avait tant de fois shooté sans conviction, se sentit-elle apaisée. Elle remettrait à plus tard son voyage au royaume himalayen des Inhumains. Pour l'instant, elle resterait avec sa famille.

Plus ou moins la même chose — aucune amélioration en vue. C'était en substance le message de la météo. Le mercure se recroquevillerait encore plus dans sa petite boule. Les vannes du ciel s'ouvriraient. Elena imaginait déjà les routes verglacées. Les blousons de ski fourrés. Les bonnets à pompon. Mais à quelque chose malheur est bon. Un prétexte bienvenu pour éviter la réception chez les Halford.

Elle se tenait dans la bibliothèque. Assise en tailleur sur le canapé dans la maison silencieuse. La lecture, selon Elena Wood, constituait un courageux voyage spirituel, et les livres étaient pour elle autant de stations marquant la progression du pèlerin sur un chemin de croix. Elle chérissait le *Yi-king* et le tarot, bien que n'en discutant avec personne dans le voisinage, et avait l'intime conviction que le planisphère de ses décisions avait été dressé par d'invisibles cartographes. Elle achetait ses livres dans les rayons occultisme et ésotérisme, les choisissant d'après leur quatrième de couverture, à moins qu'elle n'ait entendu parler d'un titre particulier, ou lu une critique dans *Psychology Today*.

Elle avait des cheveux blond bébé et des lunettes épaisses qu'elle ne chaussait que pour lire. Le reste du temps, elle plissait les yeux. Elle portait un pantalon de lainage ambre, un pull qu'elle s'était tricoté l'hiver précédent et une paire de grosses chaussettes confortables. Elena était horriblement frileuse.

Ses manuels universitaires étaient depuis longtemps relégués dans un coin poussiéreux de l'étagère, sous les sélections du Reader's Digest — des romans aux couvertures lustrées qu'elle commandait pour son mari qui ne leur accordait pas le moindre intérêt.

En ce moment, elle se documentait sur l'impuissance des hommes vieillissants et compulsait le livre de Masters et Johnson, *Les Réactions sexuelles*. « La crise initiale, qu'elle soit causée par la boisson, l'anxiété ou tout autre facteur psychologique, provoque le désir mais diminue les capacités ; ce qui effraye tellement les hommes qu'ils sombrent ensuite dans l'abstinence. Pétris de honte et de remords, ils prétendent ne plus être intéressés. »

Elle s'arrêta sur ce dernier passage. Elle aimait bien Masters et Johnson. Mieux que Havelock Ellis, l'ancêtre de la sexologie, dont les réflexions sur la vie, bien qu'étayées par ses passionnants exemples, passaient sous silence la pathologie du mariage malheureux. Elle appréciait aussi Kinsey, le précurseur, avec son point de vue original et poli sur la sexualité — les contacts bucco-génitaux n'étaient peut-être pas, en fin de compte, une pratique strictement homosexuelle —, ou encore le monumental *Psychopathia sexualis* de Krafft-Ebing, cousin hallucinatoire et dangereux de *La Fonction de l'orgasme* de Reich.

Il y avait de fantastiques photographies, là-dedans. Comme ces reproductions de pénis, de scrotums, d'anus et de prostates. Elle l'intriguait, cette prostate. Cette petite noix que les urologues finissaient toujours par enlever, à l'origine de tant de problèmes chez les vieillards. Elle étranglait l'urètre des riches et des pauvres avec l'indifférence cruelle de la peste ; les uns comme les autres se retrouvaient debout devant l'urinoir, incapables de produire plus de quelques gouttes à la fois.

Et puis, il y avait aussi les graphiques. Des graphiques qui révélaient, en quelques secondes, les pourcentages de durcissement du mamelon, montraient les courbes du tremblement musculaire ou de l'orgasme vaginal. Elle avait récemment, à plusieurs occasions, surpris Dot Halford et Denise Blackmun échangeant des théories à ce sujet : *Dot, je suis consciente de la façon dont mon clitoris réagit pendant l'orgasme, mais je me demande, quand Bill est en moi, si mon vagin a vraiment un rôle dans l'histoire. Je ne suis pas sûre...*

Elena et son mari n'appartenaient pas encore au troisième âge. Loin s'en fallait. Il n'empêche qu'ils avaient déjà fait l'expérience du *traumatisme initial de l'impuissance.* Ils en avait éprouvé la douloureuse morsure. Tous les deux. Oui, elle aussi l'avait ressentie : « Les inhibitions des femmes de niveau supérieur », comme le disent les experts, « sont plus prononcées que celles de l'homme moyen. » Cela remontait à dix-huit mois.

Le fait que Ben se soit mis à boire était peut-être à l'origine de son impuissance — laquelle, à son tour, avait influé sur le refroidissement de leurs relations conjugales. Difficile à dire. Toujours est-il que maintenant, il pouvait se montrer nu devant elle, quand il se douchait ou s'habillait, son pénis ne l'émouvait pas plus qu'une volaille plumée et décapitée. A peine un faible rappel d'un autre temps, une vague curiosité. Et le pire, c'est qu'elle éprouvait la même chose pour elle-même.

L'endroit fertile, le mandala niché au creux de son ventre, avait fermé boutique. Elle était certaine que cela n'était pas non plus étranger à l'infidélité de Benjamin. Masters et Johnson ne donnaient malheureusement aucun conseil en ce domaine.

Comme elle n'avait pas découvert de douloureuses preuves — traces de rouge à lèvres sur ses cols de chemise ou petit mot parfumé dans ses poches —, elle n'avait pas tout de suite pensé qu'il pouvait la tromper. Il lui était tout bonnement venu à l'esprit un soir, lors d'une réception, que cette étape s'inscrivait logiquement dans l'ordre des choses, qu'elle était inévitable. Voilà le tunnel étroit devant lequel ils se trouvaient désormais.

Au cours de cette soirée-là, Janey et Benjamin se tenaient affalés sur les coussins du canapé, l'air mélancolique, la bouche triste. Pauvre Janey, déprimée, que son mari ne câlinait plus! Leurs verres se remplissaient aussi vite qu'ils se vidaient. Ils se rapprochaient de plus en plus l'un de l'autre tels des porcs-épics en période de rut, mais s'écartaient sitôt qu'ils se frôlaient.

L'idée de trahison était dans l'air du temps. Le mouvement Peace and Love avait gagné les banlieues du Connecticut — environ cinq ans après son apparition. A peu près à l'époque où l'Amérique apprenait l'affaire des enregistrements de la Maison-Blanche; ce qui avait un certain rapport. Sur le marché de l'amour, c'étaient les épouses qu'on s'échangeait. Les Janey Williams de New Canaan. Un marché de dupes, en fait. Le triste besoin de se prouver qu'on avait le choix. Rien de plus. En tailleur sur son canapé, dans son pantalon peu flatteur et son pull tricoté main, Elena se sentait le droit de juger les motivations de New

Canaan. Parce qu'elle avait peu à peu renoncé à ses propres choix. Le temps bredouillait, vacillait, et consumait toutes ses illusions.

Elle lisait. De temps à autre, elle se secouait. Pour le dîner : petits pois congelés, restes de dinde et de farce. La table à demi dressée attendait son mari et sa fille.

Les moines lui avaient appris l'art de lire en silence. Les moines du Moyen Âge. Saint Augustin le premier. Le silence était un langage qu'Elena comprenait ; à travers lui, elle exprimait son soutien et son affection. Le silence était permissif, contemplatif et non agressif ; on pouvait même y déceler une certaine mélodie. Quand Paul avait insinué qu'il avait pris de la drogue, elle n'avait rien dit. Quand Wendy était venue lui annoncer qu'elle avait eu ses premières règles, elle s'était tue. Plus tard, ce soir-là, elle avait posé une boîte de Kotex sur l'oreiller de sa fille, avec le mode d'emploi bien en évidence. Le silence convenait à la complexité de ces passages initiatiques. C'était également dans la solitude et le calme que les Amérindiens s'enfonçaient dans la forêt pour se livrer à leurs quêtes hallucinatoires.

Elena n'avait jamais exposé ses idées à quiconque, pas uniquement parce qu'elle s'était rendu compte, dans ce village de républicains, qu'elle ne pouvait formuler ses opinions sans passer pour une excentrique ou une idiote, mais parce que le silence lui permettait de gagner en sagesse.

Ses ancêtres étaient irlandais et son arbre généalogique portait aussi bien des rameaux riches que pauvres. Son père avait quant à lui travaillé dans la presse. Il éditait des journaux aux manchettes racoleuses. Après avoir suivi des cours dans une école de journalisme du Midwest — qu'il payait en vendant des glaces —, il s'était embarqué sur un train de marchandises pour la côte Est où il avait commencé par trier le courrier, avant d'épouser son grand amour du lycée.

Cette philosophie de bazar qu'il diffusait dans ses journaux fut à l'origine de la dislocation de sa famille. Edwin O'Malley était un amateur de bons vins, tandis que sa femme, Margaret, la mère d'Elena, absorbait n'importe quoi et s'enfonçait dans les sables mouvants de l'alcoolisme. Margaret ne pouvait s'exprimer correctement dans les palaces et les résidences que les O'Malley fréquentèrent durant la crise de 29. Sa langue était plombée. Les termes les plus simples la fuyaient. Elle était comme un rat figé dans un labyrinthe.

Son père ne mâchait pas ses mots : *Tu as l'air d'une clocharde. Pourquoi est-ce que tu prends la peine de descendre ? Tu ne tiens pas debout, comment tu veux manger ? Tu pourras même pas tenir ta fourchette. Bon Dieu, t'es vraiment pas un cadeau ! Vraiment pas...*

Elena avait l'impression d'avoir passé son enfance à attendre que sa mère descende. Ses parents faisaient chambre à part, évidemment ; jamais ils ne dormaient ensemble. Quand sa mère se traînait au rez-de-chaussée pour dîner, c'était bien souvent sa première apparition de la journée. Elena se cachait derrière les domestiques ou les meubles pour écouter. Et elle enregistrait tout. Ensuite, elle répétait sur le même ton les phrases d'affection et de haine, jusqu'à ce qu'elle ne les distingue plus, jusqu'à ce qu'elle ne fasse plus la différence entre la dérision et le respect, entre une raclée et un câlin. Une fois, un ami de son père était passé à la maison : *Oh, Margaret, je suis content de vous voir. Vous êtes très en beauté, ce soir*. A quoi son père avait répondu : *Enfin quoi, Karl, t'as pas les yeux en face des trous ?*

Telle était sa mère. Elle dégringolait au bas des marches et, sur ordre de son père, on la laissait là, par terre. Un jour, elle s'était déshabillée sur la pelouse. Un autre, elle s'était enfermée dans la cabane à outils, à la recherche de trésors cachés. Si le jardinier ne l'y avait pas découverte, elle aurait pu y rester des jours.

Margaret O'Malley se perdait un peu plus chaque jour. Elle remontait les marches après chaque séance d'humiliation, quand il ne restait plus de dignité, plus d'ego à assassiner. Un escalator rudimentaire fut par la suite installé, à grands frais.

Le père d'Elena s'assurait que sa fille n'ignorait rien de l'état de sa mère. Il l'appelait, la forçant à venir constater chaque crime commis contre sa personne, contre sa réussite. Sa mère avait une fois voulu attenter à ses jours en avalant des somnifères ; son père l'avait fait vomir, puis il avait amené Elena dans la chambre. Margaret O'Malley était inconsciente. Elle gisait au milieu de ses excréments et de son vomi répandus partout autour d'elle, sur le lit et jusque sur la moquette. *C'est ta mère dans toute sa splendeur. Vas-y. Regarde-la.*

Elle suivit une cure de désintoxication. Puis deux. Puis dix. Elena avait cessé de compter. C'était comme un rite annuel, une fête que l'on célèbre régulièrement. Ils la soignaient et tout le monde se prenait à espérer pendant une quinzaine de jours, même son père qui redevenait jovial, mais elle replongeait — parfois elle fêtait même son retour en se servant un verre —, et bientôt la livraison hebdomadaire des bouteilles recommençait.

Le père d'Elena payait les cures, la garde-robe et les ardoises dans tous les magasins de spiritueux ; il payait aussi les coups de téléphone longue distance et une garde qui prenait soin d'elle à domicile. Toutes les factures étaient honorées.

S'il ne s'était simplement agi que d'eux trois, ils auraient sans doute depuis longtemps quitté Weston, Massachusetts. Mais Elena avait également un frère. Une copie conforme de son père — aussi stable qu'un gaz inflammable, soupe au lait et pétri de haine. Et qui buvait comme sa mère. L'homme le plus invivable qu'Elena ait jamais rencontré. Même la météo se transformait pour lui en sujet de querelle. Billy O'Malley, de dix ans l'aîné d'Elena, avait pris en main l'éducation de sa sœur, à sa façon... Pour lui apprendre à nager, il l'avait poussée, encore toute petite, dans la piscine ; elle avait failli se noyer. Pour lui apprendre les bonnes manières, il lui avait retiré les coudes de la table avec le côté tranchant d'un opinel ; elle avait eu droit à plusieurs points de suture. Pour lui apprendre le respect des aînés, il l'avait suspendue par les chevilles à une fenêtre du troisième étage. Pour lui apprendre à se débrouiller dans la ville, il l'avait abandonnée, les yeux bandés, en plein centre de Boston.

Dîner chez les O'Malley, ainsi que le lui avait souvent fait remarquer Benjamin, revenait à guetter un cessez-le-feu. Billy et son père observaient un silence réservé tant qu'ils n'avaient pas bu leurs premiers verres. Puis Billy se lançait dans sa litanie de reproches en commençant, disons, par le soutien *grotesque* que son père accordait au Comité des activités antiaméricaines. L'écœurement était manifeste, le mépris sous-jacent. Elena essayait de faire tampon, de calmer les esprits. Elle essayait le silence. Rien n'y faisait. Et puis sa mère apparaissait enfin, après avoir passé des heures à se préparer, retardée par ses tremblements et ses problèmes de double vision qui l'empêchaient de boutonner sa robe. Margaret O'Malley descendait, et alors les hostilités démarraient véritablement. *Sainte mère de Dieu, mais qu'est-ce que tu viens faire ici ? Quelqu'un peut-il nous apporter un bavoir, s'il vous plaît ! Ou une civière, ce serait peut-être plus prudent. Qu'on apporte une civière !*

Là-dessus, Billy montait sur ses grands chevaux. Car Billy et sa mère n'étaient pas seulement liés par la boisson. Ils avaient la même façon de mentir, de s'apitoyer sur eux-mêmes. Ils étaient d'ailleurs morts la même année, comme de vieux amants. Le foie de Margaret avait lâché, et Bill avait péri dans un accident d'avion, six mois tard. Des plaques commémorant leur infortuné séjour dans cette vie décoraient le mur de pierre d'une petite église. Et ces plaques avaient récemment été rejointes par celle d'Edwin O'Malley. Il avait soutenu Nixon jusqu'au bout, mais ses fragiles valvules cardiaques, rafistolées par les plus éminents cardiologues du moment, n'avaient pas survécu au Watergate. Il était mort le jour de la nomination de Cox dans ses fonctions de procureur, un 17 avril.

Paul, Wendy, Benjamin et même Daisy, la chienne, en ce moment étalée sur la moquette de la bibliothèque, composaient désormais l'entourage d'Elena. Elle reposa Masters et Johnson — le marque-page publicitaire de la librairie de New Canaan était, par hasard, coincé au chapitre de la ménopause — et se dirigea vers la cuisine. Au passage, elle alluma le couloir; elle n'aimait pas l'obscurité. Le gouvernement envisageait de rationner l'électricité. Les promenades du dimanche étaient officiellement déconseillées. La Bourse avait perdu cinquante points en une semaine. *Trois pour cent*, avait dit Benjamin, *rien que trois pour cent*.

Elle songea à la poitrine de Janey Williams, à l'art qu'elle avait de la mettre en valeur, dans un soutien-gorge qui laissait probablement des marques sur ses épaules. Janey avait de gros seins ronds. Grâce à ses fins chemisiers en dentelle, nul ne l'ignorait. Mûrs et exhibés juste ce qu'il fallait, comme l'aimaient les relations masculines d'Elena. Janey ne craignait pas de se montrer, alors qu'Elena, au contraire, apparaissait réservée. Ce qui ne l'empêchait pas de s'abandonner et d'être sensuelle parfois. L'erreur que Benjamin avait commise en la cataloguant « fille de bonne famille » la mettait hors d'elle. Et ce, d'autant qu'il n'avait jamais révisé son jugement. Elle s'était abondamment documentée sur la croissance personnelle, elle n'était pas figée. Qu'on l'emprisonne dans une opinion définitive la blessait plus que tout.

Elle remplit une casserole d'eau, la posa sur la plaque électrique et immergea le sachet de petits pois congelés dans leur sauce jaune d'or. Elle sortit ensuite la carcasse de dinde du frigidaire et la plaça sur la planche à découper. Avec l'indifférence d'un boucher, elle disposa les filets de dinde froide sur chacune des trois assiettes.

La porte d'entrée s'ouvrit, annonçant une conversation difficile. Le vent mugissait autour de la maison. Alors que son mari refermait la porte, le hurlement s'apaisa. En arrivant dans la cuisine, Benjamin et Wendy la saluèrent du bout des lèvres, comme des retardataires à l'église.

— Ce sera prêt dans dix minutes, dit Elena.

— Va te sécher, dit Benjamin à sa fille.

Tous les deux, le père et la fille, ôtèrent leurs chaussures. Des mares se répandirent autour d'eux sur le carrelage, coulèrent en petits ruisseaux vers la moquette du vestibule. Ils portèrent leurs vêtements trempés jusqu'à la machine à laver. Wendy retira son poncho, son pantalon, et se secoua les cheveux. En slip et T-shirt, elle dégoulinait encore. Une des rares choses dont Elena se montrait fière était d'avoir donné naissance à une véritable beauté.

Ben suivit Wendy qui s'avançait vers l'escalier, et Elena lui emboîta le pas. Tous trois montèrent les marches en file indienne. Wendy entra d'office dans la salle de bains dont la porte se referma avec un claquement impérieux suivi d'un bruit de verrou.

Le palier était gris-bleu, leur chambre à coucher gris-bleu, la moquette gris-bleu, mais d'une nuance un peu plus prononcée, et les rideaux d'un bleu tirant sur le gris. Le couvre-lit était à carreaux bleus et rouges. L'abat-jour de la lampe de chevet, gris-bleu lui aussi, projetait une lumière maladive dans la pièce. Benjamin ôta rapidement ses derniers vêtements qu'il empila sur une chaise.

Elena l'observait, assise au bord du lit.

— Tu ne devineras jamais où je l'ai trouvée, dit-il.

Il disparut dans le dressing-room. Une bouffée de naphtaline et de cirage se répandit dans la chambre. Les rangées de vêtements suspendus étouffaient sa voix.

— Dans le sous-sol, chez Janey et Jim. Avec ce petit con. Ils ne regardaient même pas la télé. Ils étaient allongés par terre. Le môme avait son pantalon baissé... je voyais son cul blanc s'agiter. Il avait déballé le reste, évidemment.

Elena percevait la nervosité de sa voix.

— Et elle était tout habillée. Il gigotait comme un ver de terre et elle était là, immobile.

Benjamin passa la tête hors du dressing-room pour regarder sa femme. Malgré elle, elle admira ce qui en lui n'était pas ravagé par l'incertitude, la boisson et le manque d'exercice. Peu de choses en fait, car elle le trouvait de plus en plus laid, et même, parfois, carrément repoussant. Son sourire frisait toujours l'obscénité. L'affection qu'elle lui portait, quoique noyée dans ce fratas d'émotions négatives, existait toujours. On peut difficilement vivre à côté de quelqu'un sans éprouver jamais ce genre de sentiment.

— A ton avis, je m'habille tout de suite pour la soirée, ou après le dîner?

— Comme tu veux. Mais je préférerais y aller de bonne heure, comme ça on pourra rentrer tôt.

— Message reçu. En tout cas, je ne sais pas ce qu'elle y gagnait, dans cette histoire; elle ne lui... elle ne le branlait même pas, ni ça ni autre chose.

— Tu veux peut-être me faire un dessin, pendant que tu y es?

— Je te raconte simplement les faits, *baby doll*. Pour que tu visualises bien la scène. Donc, elle ne le caressait pas, mais elle n'en profitait pas non plus pour s'offrir un petit plaisir. Elle n'avait sûrement pas envie de le faire devant ce crétin. Je suppose qu'on peut se féliciter de la timidité de notre fille! Et moi, j'arrive là-dessus. Je descends l'escalier et je m'arrête, dans une attitude théâtrale, tu vois, comme si j'étais un procureur ou quelque chose dans le genre, et je m'apprête à lui dire le fond de ma pensée, à ce petit con. Franchement, je n'ai jamais vu quelqu'un se rhabiller aussi vite.

Ahurissant. Il avait remonté son jean et rentré sa chemise avant même que j'aie le temps d'ouvrir la bouche. Et le plus drôle, c'est qu'il a fait semblant d'être absorbé par le programme télé.

Benjamin se mit à rire. Un rire qui sonnait horriblement faux.

— Dis donc, tu t'es faite belle, dit-il en nouant un nœud papillon de cachemire sur sa chemise blanche avant de remonter la fermeture de son pantalon à carreaux jaunes et bleus.

Elle se sentait tout sauf belle. Plaisante, à la rigueur. Gentille.

— Et alors? dit-elle.

— Alors Wendy s'écarte de lui et je me mets à gueuler. Je traite le gosse de je ne sais plus quoi et je le menace de le priver de ses bijoux de famille si je le reprends une seule fois avec ma fille. Enfin, ce genre de truc... Après ça, Wendy m'a suivi docilement à la maison.

Un rire, encore. Qui s'interrompit aussitôt, comme étouffé par l'hypocrisie.

Elena le regardait, qui, devant le miroir de la salle de bains, passait maintenant un peigne dans ses cheveux mouillés. Elle attendit quelques instants avant de lui poser la question. Qu'elle laissa ensuite flotter dans l'air, menaçante comme le diagnostic d'une maladie incurable.

— Et qu'est-ce que tu faisais, toi, dans ce sous-sol?

Rien qu'une imperceptible hésitation.

— J'étais passé déposer la tasse de Jim. Tu sais, il l'a laissée la dernière fois qu'il est venu à la maison. Elle était au-dessus du tableau de bord, dans la voiture. Alors je me suis arrêté chez eux pour la lui rendre.

Il sortit de la salle de bains. Tout sourires, les bras écartés.

— Allons manger, *baby doll*. Je suis prêt.

Elle se leva pesamment, comme s'il lui fallait fournir un effort considérable, et lissa le couvre-pieds matelassé. Vivre dans le mensonge la fatiguait...

— Ah oui, d'accord, dit-elle. La tasse... Celle qui était sur le tableau de bord.

— Oui, c'est ça.

— Celle-là, oui.

En riant, Benjamin la suivit dans la cuisine. Le soupçon tenait lieu d'invité indésirable. Les petits pois rebondissaient dans leur enveloppe de plastique. Tout était prêt. Wendy apparut derrière Elena, vêtue d'un autre col roulé, rose celui-là, et d'un jean de velours. Aussitôt elle chercha une cuillère en bois dans le tiroir près de la cuisinière pour vider la carcasse de sa farce. Elle posa la cuiller sur le bord du plateau, puis sortit trois verres décorés d'une frise de cerises. La belle vaisselle du dimanche attendrait.

Benjamin s'était éclipsé dans le salon pour se préparer un apéritif. Elena était habituée à ces disparitions momentanées. Elle en connaissait le rituel par cœur. Bientôt elle entendrait le son de la glace heurtant le fond du verre et de la musique sortirait des baffles de leur nouvelle chaîne hi-fi.

Elena sortit les assiettes d'un placard, puis aida sa fille à plier les serviettes et à disposer les couverts, la face tranchante du couteau tournée vers l'intérieur, le verre sur la droite du set en plastique. La chienne arriva du salon, ralentit pour éviter une chaise et tourna sur elle-même avant de se coucher sous la table. Derrière elle apparut son maître, précédé par la mélodie tintinnabulante de sa boisson.

Tous trois, debout autour des restes de la dinde, se servirent en calories. L'ordre était immuable. D'abord Wendy, puis Benjamin et enfin Elena allèrent déposer leur assiette sur la table, puis revinrent choisir une boisson dans le frigidaire. Après une longue quête déçue, Wendy fixa son choix sur du lait pasteurisé enrichi en vitamine D. Alors que Wendy tendait la bouteille de plastique à son père, qui s'en servit lui aussi un verre — lequel aurait sa place à côté du scotch *on the rocks* —, Elena remarqua que sa fille et son mari avaient la même façon de chercher dans le réfrigérateur. Avec espoir. Tandis que Paul et elle-même acceptaient d'emblée de n'y trouver qu'un choix limité.

La neige s'accumulait contre les vitres. La visibilité n'excédait pas quatre ou cinq mètres. Avec ce temps, personne à New Canaan ne souhaiterait rester chez soi un vendredi soir. Personne ne voudrait passer la soirée avec les gosses... La réception risquait de s'éterniser.

La dinde n'était plus moelleuse. Benjamin et elle étaient d'accord sur un point : une dinde se devait d'être moelleuse. A cet égard, la science avait fait de véritables miracles. Cependant, ce moelleux ne semblait pas perdurer au-delà du premier repas. Il fallait toujours trouver un subterfuge pour masquer la sécheresse des restes. Donc réchauffer la sauce. Et Elena avait oublié. Elle savait que c'était ce genre de détails qui provoquaient chez elle des crises d'angoisse, une tache de feutre sur le pantalon qu'elle venait d'acheter pour les fêtes, une rayure sur son disque de Paul Simon ou le goût acide des vieux glaçons. Des petites choses qui l'entraînaient dans un gouffre de solitude sans fond face auquel les horreurs du Cambodge semblaient dérisoires.

Se relevant, elle jeta sa serviette sur la chaise. La chienne fut aussitôt sur ses talons, espérant une assiette à lécher. Elle lui tapota la tête, entre les oreilles, avant de sortir la gelée de groseille du frigo. Wendy et Benjamin accueillirent le bol de gelée en souriant, la bouche pleine.

La chienne revint s'installer à sa place.

Elena fit circuler la gelée, mais il était trop tard. Wendy avait presque terminé sa dinde et Benjamin se concentrait essentiellement sur son scotch.

Vingt minutes sans un seul mot prononcé. Elena en prit brusquement conscience alors qu'elle rabattait une demi-douzaine de petits pois contre un morceau de dinde sèche. Pendant des années — avant qu'elle n'éprouve le besoin de décourager toute discussion —, elle s'était crue obligée d'alimenter la conversation. Elle jugeait alors que son devoir était de prendre l'initiative. Des mots apaisants et inoffensifs qui soignaient les cœurs blessés. Le langage maternel. Mais elle s'était rendu compte de l'inanité de ces mots. Elle avait vu Benjamin, à l'instar des autres hommes de sa famille, prendre la mouche devant une gentillesse.

Par exemple, sur le court de tennis, récemment :

— Les services de Benjamin, avait-elle dit lors d'un double, sont de véritables boulets de canon.

Aussitôt, il l'avait interpellée depuis l'autre côté du filet :

— Arrête de dire des conneries, tu veux ?

Entamer une conversation revenait à se faire le messager du malheur. Elle refusait ce rôle, désormais. Elle songea à sa fille dans le sous-sol des Williams. Elle l'imagina avec une jupe retroussée, imagina la rondeur de ses fesses, sa toison blonde. Ses jambes étaient déjà bien galbées, et il était manifeste, à en juger par la façon dont ses seins pointaient sous ses T-shirts, qu'elle n'aurait pas une poitrine insignifiante comme sa mère, qui harnachait inutilement la sienne dans des soutiens-gorge à armature.

Wendy ne semblait aucunement honteuse. Au contraire, avoir été prise en flagrant délit semblait l'avoir enhardie. Elena admirait malgré elle le cran de sa fille et regrettait de ne pas avoir l'occasion de la réprimander. Wendy, de retour devant le frigo, après avoir laissé son assiette et son verre dans l'évier, fut de nouveau déçue. Elle se rabattit sur le placard où étaient rangés les petits gâteaux et les confiseries, choisit une des boîtes déjà ouvertes pour Thanksgiving et quitta la cuisine. La musique se tut, soudainement remplacée par le son de la télé, insupportablement fort. Qu'il fût déjà l'heure des *Aventures de Charlie Brown* consterna Elena.

Son mari et elle se levèrent de concert. La chienne les suivit jusqu'à l'évier.

— Qu'est-ce qu'il y a comme dessert? demanda Benjamin.

— Regarde toi-même.

— Pas de suggestion du chef, ce soir?

— Je n'ai pas trop envie de rire, tu m'excuseras...

Il hésita, planté au milieu de la pièce.

— Oh... voilà une soirée qui s'annonce bien.

Son assiette lui glissa des mains au-dessus de la poubelle. Il la rattrapa de justesse et la posa sur le comptoir.

— On sort, ce soir, *baby doll*. Tu ne...

— Ne commence pas, le coupa-t-elle.

— Tu crois que je...

— Je ne crois rien.

Elle posa à son tour son assiette dans l'évier, un peu plus brutalement qu'elle ne l'aurait voulu. L'indicatif des *Peanuts* — ce morceau de jazz à la fois gai et mélancolique — leur parvint de la pièce voisine.

— Qu'est-ce que tu rumines dans ta tête, hein ? insista-t-il. Ne...

— Ne me force pas à parler, Ben. A moins que tu ne veuilles à tout prix gâcher la soirée.

Plongeant dans le placard où sa fille avait fourragé quelques minutes plus tôt, il en sortit une barre chocolatée.

— Eh bien, n'en parlons pas, dans ce cas.

Elena se mordit les lèvres.

— La tasse de Jim, marmonna-t-elle. Et puis quoi, encore ?

— Ça veut dire quoi ? demanda-t-il d'un ton las.

— Ne te fais pas plus bête que tu n'es.

— Je ne comprends pas un mot de ce que tu dis.

— Ça ne m'étonne pas.

Benjamin pointa sa barre sur elle.

— Écoute, chérie, si tu as l'intention de me rejouer la scène du...

— Ton infidélité, coupa-t-elle. C'est de ça que j'essaie de parler. Ton infidélité, ta déloyauté. Ta liaison. D'accord ? Tu pourrais au moins m'épargner tes mensonges mesquins.

Il blêmit.

— Parce que je suis infidèle, selon toi ? C'est ce que tu essaies de me dire ? C'est bien de ça que tu m'accuses ?

Si le ton montait, les voix baissaient de plus en plus.

— Pour commencer, oui.

— Et quel genre de fidélité attends-tu de moi ? dit-il.

— Si tu comptes m'insulter avec tes...

— Comment veux-tu que j'agisse autrement ? poursuivit-il. Comment veux-tu que je ne sois pas infidèle ? On ne vit pas dans le même monde, ma chérie. Ouvre les yeux ! Tu vis toujours dans une sorte de paradis imaginaire, coincée quelque part dans le passé, en te nourrissant des conseils fantasques de psychothérapeutes. Il faut voir les choses en face...

Un silence. Lourd.

— Regarde autour de toi, bon sang ! Les gens sont infidèles. Le gouvernement est infidèle. Le monde entier est infidèle. Rien n'est jamais comme on le voudrait. Tout est faussé. Et si tu crois que ça m'amuse, eh bien détrompe-toi. Écoute, ça ne sert qu'à nous faire du mal, tout ça. Et je ne suis pas...

Soupir.

— J'aimerais tellement qu'on panse nos plaies, tous les deux, tu sais...

Dans le salon, les Peanuts hurlaient de plus belle.

— Bon sang, dit-elle. Tu me prends vraiment pour une idiote ! Et tu veux te montrer avec ton idiote de femme à cette réception. Tu veux porter ce nœud papillon ridicule qui ne va pas du tout avec ton pantalon. Et tu veux que je mette une robe bien décolletée, que je serre les mains de tes amis et que je me mêle aux conversations, mais tu ne me respectes même pas assez pour me parler avec honnêteté.

— Au moins ça nous fera sortir d'ici. Prendre l'air. On essaiera de se changer les idées avec nos voisins. Je n'ai pas envie de passer la soirée à bouquiner dans un coin et toi dans l'autre. Allez, viens... on va se détendre un peu, O.K. ?

Il jeta l'emballage de sa barre sur le comptoir et retourna dans le placard, d'où il sortit un paquet de *marshmallows* entamé.

— Tu ne te rends vraiment pas compte de ce que

je peux ressentir, dit Elena. Ça ne t'effleure même pas l'esprit. Jamais.

— Bien sûr que si, chuchota-t-il. Tu crois que j'ignore ce qu'est la solitude ? Oh, que non ! J'en connais un rayon, moi aussi.

— Benjamin... Est-ce censé être une justification ?

— Je dis seulement que tu n'as pas le monopole de la solitude, c'est tout. En conséquence, j'ai été poussé à des actes que je regrette, *baby doll*. Parce que je regrette, tu peux me croire.

L'air soudain fatigué, il s'avança vers elle qui n'avait aucune intention de se réfugier dans ses bras. Pas question de jouer le rôle de la victime. Ils restèrent à distance respectueuse, s'attirant, se repoussant. Un ange passa. Elena, pratique, songea qu'il faudrait remonter le thermostat avant de partir et rappeler à Wendy d'éteindre le feu dans la cheminée. Son esprit fuyait la réalité du moment. Elle était triste, mais refusait de se laisser submerger par la tristesse. Y avait-il assez de journaux près du feu ?

Ils se séparèrent. Benjamin s'enferma dans les toilettes du couloir.

Elena se rafraîchit le visage avec la lavette de la vaisselle. La chienne ne la quittait pas des yeux, sa queue battait l'air comme un essuie-glace.

Dans le salon, elle trouva Wendy hypnotisée par Charlie Brown. Se penchant derrière elle, au-dessus du canapé, elle enfouit ses mains dans les cheveux de sa fille.

— On va chez les Halford. Le numéro est sur le calendrier, dans la cuisine. On devrait être rentrés pour onze heures.

— Y aura du monde ?

Les yeux de Wendy restaient collés à l'écran.

— Je suppose. Pourquoi ?

— Pour savoir, c'est tout. S'il y a un problème, je vous appelle pour vous prévenir.

— Quel problème veux-tu qu'il y ait ?

Elena embrassa le crâne de sa fille, là où ses cheveux se séparaient, sans perturber le moins du monde sa concentration.

— Je pensais piquer le break pour faire une virée, et peut-être aller me baigner toute nue dans la fontaine, sur la place. Ou m'engager dans la Légion. Ou mettre le feu à la baraque. Enfin un truc du genre...

— Par le temps qu'il fait, va plutôt te mettre sous ta couette. Il y a des couvertures dans le placard à linge, si tu n'as pas assez chaud. A demain.

Elena décida de garder ses grosses chaussettes et de ne pas se maquiller. Dans le vestibule, elle décrocha son imperméable fourré. Il n'y avait que deux kilomètres, même pas, et ils seraient en voiture. Elle choisit néanmoins de mettre cet imperméable qu'elle avait acheté en solde chez Lord & Taylor à Stamford.

La neige avait commencé à s'accumuler sur la pelouse — enfin, si on pouvait appeler ça une pelouse —, dans les buissons et sur les feuilles mortes autour de la maison. Les routes seraient dangereusement glissantes. Les employés de la commune devaient être sur le pied de guerre pour saupoudrer sel et sable.

Benjamin l'attendait déjà dans la voiture qu'il faisait chauffer devant le garage. Elena lança un « Bonne nuit » à sa fille depuis l'entrée mais n'obtint pas de réponse. Toujours la musique des *Peanuts*. Elle ferma la porte derrière elle.

A l'université, il lui était souvent arrivé de se jeter au cou de Benjamin, par-derrière, pour lui avouer son amour, et de découvrir que ce n'était pas lui. Parfois, la personne ressemblait à Benjamin, mais la plupart du temps elle n'avait même pas cette excuse. Il pouvait aussi bien s'agir d'un rouquin, d'un Noir ou même d'une femme ! Ses sentiments pour lui étaient à cette époque si forts qu'ils se répandaient partout.

Ou bien elle appelait sa chambre, à l'université — *J'ai très envie de te voir ce soir...* —, et découvrait au bout du compte que ce n'était pas à lui qu'elle s'adressait, mais à un de ses copains — *Oh, Elena, mon petit oiseau des îles, mon cœur, mais je suis prêt à t'attendre toute la nuit, s'il le faut... HA ! HA ! HA !*

Cette période de facéties débouchant sur la demande en mariage de Benjamin — avec le recul, elle attribuait cela à un manque d'imagination de sa part — fut aussi caractérisée par des coups de téléphone, qu'elle destinait par exemple à une amie ou à son frère, et qui aboutissaient dans la chambre de Benjamin. C'était comme si elle n'avait d'autre relation que lui, personne à appeler que lui. A ce moment-là, elle les aimait tous, tous ceux qui ressemblaient à Benjamin Hood, et même ceux qui ne lui ressemblaient pas.

Ainsi l'amour était une erreur d'identité, Erich Fromm, C.S. Lewis et Paul Tillich étaient tous d'accord. L'amour, éparpillé aux quatre vents, allait au-delà de ses cibles. Peut-être que Benjamin était dans le vrai et que les adultes des années 70 avaient de bonnes raisons, question sentiments, de faire erreur sur la personne, dans cette foule de fantômes et de désirs du passé.

Cet homme, au volant de sa voiture, se curait le nez de la même manière que celui qu'elle avait épousé, il prenait des douches aussi longues, et pourtant ce n'était plus le même homme. Elle avait certains souvenirs que lui-même avait probablement oubliés depuis longtemps : sa tristesse alors qu'ils visitaient un zoo avec les gosses, à Bridgeport, un zoo minable où les animaux étaient particulièrement mal soignés ; le plaisir qu'il avait pris à lire *Petit Déjeuner chez Tiffany* ; son désarroi à l'annonce de la mort de sa mère. Elle se rappelait tout ça. Elle trompait Benjamin avec sa jeunesse perdue.

Lui aussi avait une vision d'elle qui lui était propre. En tête des critiques qu'il émettait à son égard : son incapacité à bavarder entre amis. Dans la voiture, justement, elle passa en revue les sujets à aborder ce soir. Depuis que les cours s'étaient effondrés, que le gouvernement avait révélé qu'il avait effacé d'importants morceaux des enregistrements, que les nations arabes exerçaient un embargo sur le pétrole contre les pays occidentaux partisans de la cause israélienne et que les États-Unis, en conséquence, seraient prochainement amenés à rationner le pétrole, mieux valait éviter l'actualité. Elle allait devoir trouver autre chose.

L'automne était déjà bien avancé, et le country club avait fermé ses portes depuis trois mois, donc plus personne ne jouait au tennis. Ni au golf. Quelques-uns, peut-être, s'essayaient au ping-pong. En revanche, des matchs de foot se déroulaient encore. Ils alimenteraient parfaitement les conversations. Les Giants semblaient une fois de plus mal partis pour se montrer à la hauteur de leur réputation. Les Mets se maintenaient tant bien que mal, tandis que les Rangers promettaient de faire une excellente saison.

La religion était à proscrire, bien entendu, sauf dans le cadre des réunions paroissiales. Quelqu'un avait-il prévu de s'occuper des vêtements à distribuer aux indigents ? Qui était censé faire le café, dimanche prochain ? Critiquer les sermons était également bien vu. Ou le pasteur lui-même.

On parlerait aussi des associations de parents d'élèves, des impôts locaux, des conseillers municipaux et de la suppression du ramassage scolaire dans certains quartiers. Mais ces sujets s'épuisaient rapidement.

En fait, le sujet de ce genre de soirée, le seul dont personne ne se lassait vraiment, c'était le sacro-saint commérage. Plus on était médisant, mieux cela valait. Elena avait colporté des ragots, comme tout le monde, sur des amies qui fréquentaient Silver Meadow — en clientes —, sur les ruptures, les liaisons minables et les intrigues de bureau. Elle se rendait compte, évidemment, alors que Benjamin s'engageait dans la rue des Halford, qu'elle ferait désormais partie de ces commérages. Elle s'exhibait en public avec un époux qui ne lui était plus fidèle. Et la question, dans certains cercles, serait de savoir si oui ou non elle se savait trompée.

D'un autre côté, peut-être que Benjamin avait raison et qu'ils étaient tous logés à la même enseigne. Peut-être que tromper et être trompé se trouvait inscrit dans la nature même du mariage. Oui, la seule attitude était d'accepter paisiblement cette déchéance, et de reconnaître qu'on pouvait malgré tout continuer à vivre dans ces jolies maisons, se faire belle à l'occasion et aimer ses enfants en leur apportant l'affection dont on avait soi-même été privé.

Sale temps au Baxter Building. La vie n'est-elle pas ironique, à défaut d'autre chose, ainsi que le remarquait Annihilus dans le numéro 140 ? L'amour et le travail bouleversaient les aventures des *Quatre Fantastiques*, ces fabuleux super-héros de l'Amérique. Depuis presque un an — un an, soit douze numéros, mais quelques jours, pas plus, dans le temps figé des bandes dessinées Marvel —, Sue Richards, née Storm, la Femme Invisible, était éloignée de son mari, Reed Richards. Avec Franklin, leur fils, elle vivait retirée à la campagne. Elle reviendrait seulement quand Reed aurait enfin compris le sens de ses obligations familiales. Méduse l'avait remplacée au sein des *Quatre Fantastiques*. Méduse, Inhumaine d'origine tibétaine et cousine de la maîtresse de Johnny Storm, Cristal Méduse, dont les tresses étaient dotées d'une volonté propre, avait été, à une époque, l'ennemie jurée des Quatre Fantastiques, un membre des anti-Q.F., les Quatre Affreux.

L'ambiance, au Baxter Building, était sombre. Il y avait les problèmes conjugaux de Richards, et les hésitations de Cristal qui avait récemment choisi d'épouser Vif-Argent au lieu de Johnny Storm. Il y avait Sue que les transes de Franklin inquiétaient ; Reed qui s'inquiétait pour Sue ; Johnny qui s'inquiétait pour Cristal et Ben Grimm qui s'inquiétait pour lui-même.

Paul Hood était un lecteur de B.D. assidu. C'était une bonne période pour les lecteurs des *Quatre Fantastiques*. Même si le magazine ne devait plus jamais être à la hauteur de ses quatre-vingts premiers numéros, à l'époque où ses créateurs, Stan Lee et Jack Kirby, menaient la barque, c'était quand même pas mal.

Le premier numéro, une chronique de la bataille avec la Taupe, était paru douze ans plus tôt. En 1961, exactement. La sœur de Paul, Wendy, avait pratiquement le même âge que la B.D. Quatorze ans auparavant, sa famille atteignait sa taille actuelle. En fait, si l'on y réfléchissait bien, il était possible que sa sœur, Wendy, soit née durant la gestation créative qui avait donné vie aux *Quatre Fantastiques*. Qu'était devenu Stan Lee pendant toutes ces années ?

Au kiosque à journaux de la gare de Stamford, Paul lorgnait le présentoir grinçant des B.D., au fond, près des revues pornos. Le numéro 141 captait toute son attention. Il clamait, ce qui n'avait rien de surprenant : LA FIN DES QUATRE FANTASTIQUES. En couverture, une Sue en plein désarroi tenait son fils irradié dans ses bras : « Le petit Franklin brille comme une BOMBE ATOMIQUE !!! »

Naturellement, Paul avait essayé d'autres B.D. Il avait lu *Batman* et *La Ligue des Justiciers Américains*, et aussi, dans l'édition Marvel, *Spider-Man, L'Incroyable Hulk, Les Vengeurs, X-men*, *Iron Man*, mais surtout les dignes descendants des *Quatre Fantastiques, Le Surfeur d'Argent* ou *Le Prince Namor*. Il les avait tous lus. Pourtant il revenait toujours aux *Quatre Fantastiques*. Batman était chouette, mais ses qualités n'avaient rien de surnaturel. Il était simplement intelligent et riche. Superman, lui, c'était une force morale. Hulk était orgueilleux comme un pou et le Surfeur d'Argent avait sans conteste été créé par un esprit en plein trip psychédélique. Quant à *Thor*, c'était le genre de B.D. qu'on lisait quand on voulait se documenter sur la Renaissance.

Alors pourquoi *Les Quatre Fantastiques* ? Eh bien d'abord, Paul trouvait qu'il y avait une sacrée coïncidence dans le fait que son père portait le même prénom que Benjamin Grimm, la Chose. Plus jeune, d'ailleurs, il considérait son père comme la Chose personnifiée : massif, repoussant, geignard. Son père s'agitait rageusement dans la maison comme un pachyderme dévastant les broussailles; il ne pouvait trouver une serviette humide traînant sur le carrelage de la salle de bains sans se ruer dans la chambre de son fils pour l'en accuser; il guettait le moindre son, le plus petit bruit de pas pour hurler depuis le bas de l'escalier. Mais il revenait toujours pour s'excuser, aussi. Ses accès de colère lui donnaient des remords. Comme la Chose. Il haïssait le monde, haïssait l'humanité, haïssait sa famille, mais aimait les gens, aimait les gosses et les chiens.

Et sa mère était la Femme Invisible. Encore que, à certains égards, elle ressemblât à Cristal, une prophétesse, une magicienne. Parfois son père devenait Reed Richards, le scientifique élastique. Parfois aussi, Paul lui-même se prenait pour Ben Grimm, et quelquefois pour Peter Parker, alias Spiderman. Ces modèles n'étaient jamais tout à fait conformes à la réalité. Cependant, *Les Quatre Fantastiques*, malgré toutes les erreurs et les obligations de leurs personnages, leurs guerres intestines et leur interdépendance, brossaient un tableau exact de la vie de famille. Quand Paul avait commencé à lire ces livres, les pitoyables mélodrames de New Canaan avaient perdu de leur sel.

En parlant de pitoyable mélodrame : mardi soir, c'est-à-dire trois jours plus tôt, ils regardaient tous la télé à l'internat St. Pete, où Paul était « incarcéré ». C'était la veille des vacances de Thanksgiving, et il était dans la pièce commune. *Rudolph, le Renne au Nez Rouge* passait à la télé. A croire qu'ils s'y prenaient de plus en plus tôt pour les programmes de Noël. Quelqu'un avait éteint la lumière. Ils s'étaient tous installés confortablement dans le noir. On se foutait de savoir qui était là. Paul avait eu le bol d'acheter de l'herbe à un type du club de maths qui dealait à ses heures perdues. Il venait de la fumer.

Le problème, c'est que ce genre de drogue ne marchait plus, pour lui. La première fois qu'il s'était shooté, il avait ressenti la bienveillance des objets inanimés, des arbres, des vieux dortoirs. Il avait découvert une comédie subtile et géniale dans les rapports entre les choses. Il avait parlé à des filles, leur avait dit qu'il ne voulait pas rentrer chez lui, qu'il ne pouvait parler à personne et qu'il ne voulait pas continuer ses études ; et ces filles avaient posé leurs mains sur son front et l'avaient tenu contre elles.

Mais plus tard, les joints avaient cessé de lui faire de l'effet. Rien ne pouvait désormais plus casser sa coquille de paraffine. Pourtant, cette nuit-là, mardi, après avoir fumé l'herbe, partout où il regardait, il voyait des points rouges. L'écran était couvert de points rouges. Comme une invasion de coccinelles. Le film n'avait aucun sens. Son histoire prenait même une tournure plutôt louche. Derrière le rôle de meneur d'attelage de Rudolph, Paul devinait les machinations, les lavages de cerveau, les manipulations du gouvernement. Sans arrêt, il sortait de son état halluciné pour découvrir l'abominable homme des neiges en train de menacer la ville.

— Hood ? dit quelqu'un. Hood, ça va ?

— Fais pas chier. Je me concentre.

Mais peut-être feignait-il seulement. Parce que Carla Teddy, qui n'était pas seulement une fan de Rudolph et de son cousin Glagla le bonhomme de neige, mais aussi le genre de fille qui connaissait par cœur les dialogues de *Miracle sur la 34e Rue* et rêvait d'une impossible carrière de danseuse étoile en écoutant *Casse-Noisette*, Carla était assise à côté de lui. Et elle s'efforçait de l'apaiser. Carla Teddy, une des filles les plus casse-cou de St. Pete. Elle s'était inscrite en 1971, l'année où l'établissement était devenu mixte. Penchée vers lui sur la banquette de vinyle gris, elle le consolait. Et, pendant une scène où Rudolph était pris à partie par un renne jaloux, à moins que ce ne fût plus tard, il la serra dans ses bras. Ça lui fit peur. Il fit marche arrière.

— C'est bon, dit-elle. C'est O.K.

Elle avait un cœur maternel gros comme ça.

— Je déteste Thanksgiving, moi aussi. Normal... Pourquoi est-ce qu'on aurait envie de rentrer chez nous, hein ? D'un autre côté, rester ici, c'est pas terrible non plus.

Paul ne doutait pas de sa sincérité. St. Pete, c'était là que les familles influentes de la côte Est se débarrassaient de leurs héritiers, qu'elles les claquemuraient jusqu'à l'université. Carla n'avait pas envie de rentrer chez elle parce que, d'après ce qu'il avait entendu dire, sa mère, sa mère célibataire, était malade. Mourante. Une tumeur. Un cancer quelconque. Il y avait des élèves, à St. Pete, dont les parents devaient régulièrement subir des lavages d'estomac. Abus de somnifères. Dont un frangin s'était pendu, dont une sœur s'était jetée dans l'océan au volant de sa voiture de sport... Des enfants de familles détruites. Mais riches.

— La ferme ! lança quelqu'un.

Paul n'entendait plus le son. Il avait repris Carla dans ses bras. Un petit elfe dansait gaiement dans un paysage enneigé. Sautait par-dessus les dunes blanches. Paul voulait que cette étreinte devienne magique. Dans son semi-brouillard, il se rendait vaguement compte que la pièce était le théâtre de multiples étreintes. Il fut pris d'un fou rire.

Paul glissa sa main entre deux boutons du chemisier rose de Carla et sentit sous les doigts la dentelle de son soutien-gorge. Il y avait une douceur terrifiante dans cet espace, près du cœur d'une femme. Il était attiré, mais à cet instant il aurait été bien en peine de dire pourquoi. Carla ne l'encourageait pas plus qu'elle ne le repoussait. Pendant les pubs, il s'autorisa à aller encore plus loin, jusqu'à sa poitrine — petite, sereine, réconfortante. Plus rassurante que sexy. Carla referma les doigts sur son poignet et lui remit la main sur les genoux. Partout, dans la pièce baignée de points rouges, les filles refermaient les doigts sur les poignets des garçons. Le tout créait un curieux mélange.

— Je sais, disait-elle. Je sais, je sais...

Alors il prit le seul parti sensé vu la situation. Il quitta la pièce commune. Il attendit que l'effet de la drogue et sa honte se dissipent. Il s'enfuit.

Tout s'emmêlait dans son esprit. Il mélangeait réalité et fiction. L'univers imaginaire créé par Marvel et ses habitants coexistaient avec les habitants du monde où il vivait, de même que les saints de l'Antiquité, morts depuis belle lurette, étaient censés folâtrer autour de lui — jusque sur ce quai de la gare de Stamford. Selon sa propre vision déformée, ses parents luttaient contre une personnalité politique locale dont la fille deviendrait sa femme, tandis que sa sœur séduisait un marchand de tableaux, physicien nucléaire amateur, qui serait un jour l'employeur de Paul. Ce physicien n'était autre d'ailleurs qu'un espion balkanique ourdissant un important complot pour anéantir les activités professionnelles de Benjamin Hood. Tout devenait irréel. Carla allait apparaître dans le train, s'asseoir à côté de lui et lui avouer son amour indéfectible. Le train serait alors attaqué par une horde d'Indiens du Connecticut, puis il le mènerait directement dans l'action de *Rudolph, le Renne au Nez Rouge*. Et Paul se jetterait dans un combat au corps à corps avec l'abominable homme des neiges, jusqu'à ce que Richard Nixon intervienne, en personne, pour prêcher la paix, comme il l'avait fait dans le numéro 106 des *Quatre Fantastiques*... Telles étaient les pensées confuses de son cerveau embrumé.

Le père de Paul détestait les B.D., bien entendu. L'idée que des dollars durement gagnés chez Schackley et Schwimmer puissent alimenter les caisses du groupe Marvel le rendait malade. Mais ce n'étaient pas seulement les bandes dessinées qu'il détestait. C'étaient les longs cheveux ondulés de son fils, sa solitude, et le fait qu'il ne pratiquait aucun sport. Le club radio, la chorale et le badminton n'avaient jamais impressionné Benjamin Hood.

Aussi Paul avait-il renoncé à la considération de son père. Il traînait avec les camés. Paul était un perdant, un *loser*, comme on disait dans ce milieu. On lui refourguait n'importe quoi et il pensait que c'était de la came super. Il payait au prix fort quelques grammes de muscade avec la promesse de planer à cinq mille mètres. Paul Hood, consommateur de graines de liseron. Déchiffreur d'obscurs poèmes lyriques. Ses copains de chambre avaient des perruches nommées Aragorn et Galadriel. Il faisait brûler de l'encens, portait des lunettes cerclées de métal. Il donnait l'impression de dormir dans ses fringues. Ses vestes de tweed étaient toujours chiffonnées. Le pantalon qu'il portait aujourd'hui aussi.

Stamford s'étalait platement le long de la route 95, en contrebas de la gare. La cité H.L.M., une dizaine de bâtiments circulaires sur la gauche, se morfondait, inconsolable, à l'horizon. Au-delà s'élevait la seule tour de Stamford. Une fusée rutilante, un peu comme l'avion des *Quatre Fantastiques*. Ou comme le Baxter Building. Il n'avait aucun mal à les imaginer qui décollaient de cette impressionnante piste de lancement pour aller foutre une raclée au Dr Doom ou à Blaastar.

Dans le train, il s'installa sur une banquette vide, les pieds sur le siège d'en face. Il eut droit au numéro habituel quand il se rendit compte que, une fois de plus, il n'avait pas pris de billet côté fenêtre. Le contrôleur invoqua le règlement et voulut lui faire payer une amende.

— Toutes mes excuses, Charles, dit Paul.

Le contrôleur n'avait, semble-t-il, pas le sens de l'humour.

— C'est de ma faute, monsieur, reprit Paul. Pourrai-je acheter mon billet à Grand Central au prix fort ?

Il se remit ensuite à penser à St. Pete. Au Culte

Kittredge — c'était ainsi qu'on les avait baptisés à l'internat, lui et ses copains. Les « cultistes ». Simplement parce qu'ils avaient choisi de se terrer dans le dortoir qui portait ce nom. Un dortoir froid, moderne et sans vie. Il y avait maintenant deux ans qu'ils y étaient. Entre eux, un seul point commun : leur médiocrité. Paul pouvait se vanter de ne participer à aucun sport d'équipe, et de ne jouer dans aucun groupe de rock. Il n'était même pas beau. Le Culte n'était fréquenté que par ce genre de paumés. Les autres pensionnaires passaient parfois l'été ensemble sur l'île de Nantucket, à Camden ou ailleurs. Le Culte Kittredge était le fond du panier.

Pour eux, l'adolescence était presque fatale. Rester sobre un après-midi entier relevait de l'héroïsme. N'avait de sens qu'un état d'ébriété stupide. L'ivresse était la quintessence de la vie. La promesse d'une sexualité libérée, agitée sous le nez des autres garçons de leur âge, leur passait complètement au-dessus de la tête. Ils se branlaient et se faisaient pincer. Ils se shootaient, buvaient, et se branlaient. Triste résumé de leurs journées...

L'origine exacte du Culte demeurait inconnue. Des filles y étaient admises. Carla, mais aussi Christina Whitman et sa copine de chambre, Debby Vartagnan. Debby avait cette particularité d'autoriser les garçons de Kittredge, qu'elle aimait d'une façon toute platonique, à s'allonger avec elle le samedi soir — une violation flagrante du règlement de l'établissement — et à toucher son énorme poitrine. Paul n'y avait pas encore eu droit, mais il avait vu Hall Frost, un autre cultiste, partir tout d'abord euphorique — il allait être le premier à tacher ses draps ! à se doucher avec elle ! à rencontrer ses parents ! —, pour revenir carrément honteux. Par la suite, Debby refusa de parler à Frost. C'était quoi, l'amour libre, exactement? C'était quoi, la révolution?

Le nombre de cultistes était mouvant. Francis Chamberlain Davenport IV, le meilleur ami de Paul, comptait au nombre des membres, ainsi que Hal Frost. Il y avait également Penny Belvedere, Johnny Wilde et Mike Russel, et toute une tripotée de personnages secondaires. Quelquefois, tout le monde s'entendait bien; ils pouvaient compter les uns sur les autres avec l'assurance d'être accompagnés dans les moments difficiles de la journée — celui, par exemple, où il fallait traverser seul le réfectoire et essuyer les regards et les critiques implacables des autres. Le Culte réconfortait, songea Paul alors que le train passait au large de Greenwich. Le Culte était un remontant et une consolation.

Mais ce Culte ne pouvait en revanche leur apprendre l'amour. A cet égard, ils étaient tous orphelins, tous originaires de familles brisées. Ils ne connaissaient que dalle à l'amour. Paul était sorti avec Eileen Becker, mais au début de l'été elle avait commencé à se tourner vers un autre gars de son âge, Stan Sinclair. Par la suite, Paul, fréquemment, les dérangeait dans la chambre de Stan où tous les deux, à son arrivée, feignaient de dormir. Hood se vengea par quelques toquades qui ne durèrent guère plus de quelques semaines. Il décida alors de se venger en restant seul.

Et puis un soir, il persuada Eileen de le suivre dans une salle de lecture déserte. *Je ne mange plus depuis que tu sors avec Sinclair. Je ne suis plus qu'une plaie, à l'intérieur...* Ce qui était vrai, sauf qu'Eileen n'y était pour rien; c'était de naissance. Paul, agenouillé devant elle qui avait le jean et le slip enroulés autour des chevilles, avait posé ses lèvres sur le triangle brun et soyeux. Elle avait écarté les cuisses, lui permettant de la pénétrer du bout de la langue. Si brièvement que ce ne pouvait être qu'un rêve. Et bien qu'elle ne voulût pas poursuivre l'expérience, elle avait murmuré, frémi et murmuré, avant de retourner vers Sinclair : *Paul Hood, je suis sûre que tu seras doué, un jour...*

Le train traversa Pelham sans s'arrêter. De chaque côté de la voie, les voitures se débattaient dans la neige et le brouillard.

Paul Hood s'y connaissait plus en mécanique qu'en amour. Mais il était loin d'être ignare en la matière. Il avait glissé la main dans le slip de Jeannie McFarlane et il avait déjà embrassé toute une collection de filles. Il avait aussi lu des articles sur les fellations, les orgies, la bisexualité, la masturbation mutuelle, les travestis, les ménages à trois, la sexualité anale, et même le *fist-fucking*. Il avait parcouru l'exemplaire corné du *Kama Sutra* de Davenport. L'amour, il savait ce que c'était. Et il comptait bien poursuivre son éducation. Pas question pour lui de devenir aussi triste que ses parents.

Il se trouvait dans le train, en route pour retrouver Libbets Casey, une fille de l'école qui, contrairement aux filles du Culte, contrairement à Carla, avait de la conversation, travaillait bénévolement pour la Société missionnaire de St. Pete et n'était l'objet d'aucune surveillance parentale. Paul était amoureux. Ça lui était tombé dessus comme ça, sans prévenir. Clara, Debby Vartagnan... il les aimait bien, oui. Mais Libbets, il la voulait, il la désirait. Une fille qui mettait un vison sur son jean. Il pensait à elle jour et nuit. Il écrivait son nom dans les histoires qu'il inventait pendant les cours de maths ; il lui dédiait des chansons sur les ondes radiophoniques. Et ça durait depuis des jours.

Depuis près de deux ans, il avait pratiquement passé tous ses après-midi avec Davenport, Frost et Brendan Gilford. Ils se shootaient ensemble ; ils utilisaient la même savonnette ; ils s'échangeaient leurs disques. Ils connaissaient les mêmes blagues et détestaient les mêmes profs. Mais il était conscient que cette époque touchait à sa fin. Que le Culte, cette association mal définie, était le genre de chose qui correspondait à un âge donné. En septembre, quand Davenport, à son anniversaire, s'était déclaré roi du Culte, ça commençait déjà à sentir le roussi. C'était une blague, évidemment. Une blague pour mieux supporter sa condition de paumé. Et bientôt, tout le monde avait suivi le mouvement. Chacun se donnait un titre, comme les *Quatre Fantastiques*. Tout n'était qu'une question de relations, de politique et de pouvoir.

Les voyageurs du train observaient un calme étrange. Ils s'avachissaient sur les banquettes, leurs bagages étalés n'importe comment autour d'eux. Paul oubliait systématiquement quelque chose derrière lui : une montre, une revue, un parapluie. Il empruntait des objets et les perdait. Aussi s'accrochait-il à son numéro 141 des *Quatre Fantastiques* comme s'il s'agissait d'un vieux manuscrit religieux ou d'une décision de la Cour suprême. Et quand le train se rua dans le tunnel de la 97e Rue pour entrer dans le terminal, et qu'il stoppa avec un soupir de freins hydrauliques, il fut content d'être seul, sans biens ni obligations.

Le terminal de Grand Central était désert. Le panneau publicitaire de Kodak représentait une famille de Blancs, une famille heureuse réunie autour d'un sapin de Noël. Ainsi qu'on le lui avait appris quand il était petit, Paul s'appuya contre un mur et leva les yeux vers le plafond constellé d'étoiles, aujourd'hui noyées dans la crasse et le salpêtre. La simplicité balourde de ces constellations l'émouvait. Elles représentaient les super-héros du passé.

Dans le terminal, près de la salle d'attente vide, un groupe d'hommes aux visages blancs, aux petites lunettes bon marché, vendaient des livres et des disques de méditation. Paul passa près d'eux avec la brusquerie d'un guerrier.

Libbets Casey. Sa destination. Dans le bastion de la majorité silencieuse, les quartiers est. Son père ne travaillait pas. Il n'en avait pas besoin. Dans un bureau, en plein centre-ville, un bureau dont il était propriétaire, il lui arrivait à l'occasion d'ouvrir lui-même quelques lettres à l'aide de son coupe-papier en or, puis de se rendre à des déjeuners d'affaires avant de disputer une partie de tennis avec d'autres relations tout aussi influentes que lui. Libbets n'aurait pas à travailler non plus. Elle n'aurait pas à s'ennuyer huit heures par jour dans un bureau. Des générations de Casey avaient collectionné les tableaux de maîtres. Ils avaient fait donation d'un grand nombre de toiles cubistes, choisies par la grand-mère de Libbets, au musée d'Art moderne. Les Casey avaient également révélé certains peintres du XIXe — Eakins, Childe Hassam. Ce genre de passe-temps était donc tout à fait recommandé. De même que toute activité artistique. Sa mère était conservatrice d'un musée, et ses frères et sœurs, tous plus âgés qu'elle, propriétaires de galeries d'art ou historiens.

Les portiers du 930 Park Avenue laissèrent Paul entrer sans prendre la peine de l'annoncer. Il les soupçonna d'avoir, eux aussi, fumé un joint ou bu une bière avec Libbets. Ce qui n'aurait rien de surprenant, vu que Libbets ignorait les barrières sociales. Elle connaissait les jeunes qui traînaient dans Central Park ; elle connaissait Adam Purple, le type qui ramassait le crottin de cheval dans le parc ; elle connaissait David Cassidy, dont le père habitait dans l'immeuble.

Les portiers du 930 avaient les cheveux longs et le sourire sournois, le sourire de types mal à l'aise dans leur peau d'hommes à tout faire.

L'un d'entre eux demanda à Paul s'il y avait une boum.

Paul secoua la tête en marmonnant.

L'ascenseur arrivait directement dans le vestibule des Casey. Ils occupaient tout le troisième étage. Paul posa sa veste sur une chaise. Son cœur battait fort alors qu'il songeait aux robes paysannes de Libbets, au parfum de la crème qu'elle se mettait sur le visage, à ses joues creusées de fossettes quand elle souriait. A l'exception du son étouffé de la télé, un calme austère régnait dans l'appartement. Ses pieds s'enfonçaient dans des tapis orientaux ; d'énormes jarres précolombiennes et de petits tableaux d'impressionnistes américains décoraient le vestibule. L'ascenseur se referma derrière lui.

Libbets arriva en courant du salon.

— Super ! dit-elle. On t'attendait !

On ? On t'attendait ? L'implication de cet horrible collectif frappa Paul comme un coup en plein plexus solaire. *On ?* Pourtant, il suivit son hôtesse. Et bien sûr, dans le salon, il trouva Francis Chamberlain Davenport IV en train de verser une petite dose d'herbe sur un exemplaire ouvert de *Six Crises* de Richard M. Nixon.

Tout espoir l'abandonna.

— Tu devrais lire ça, Hood, dit Davenport. Y a tout ce que tu peux savoir sur les misères de la vie.

— Tu vas laisser de l'herbe là-dedans ? demanda Paul. Ça va se voir.

— Tout sera révélé au grand jour, vieux. Quand l'élève est prêt, le maître apparaît.

Libbets s'agitait nerveusement dans le salon. Paul se demanda si tous les deux, elle et Davenport, s'étaient déjà livrés à quelque expérience sexuelle.

— Qu'est-ce qu'il y a à la téloche ? s'enquit-il.

— *Lost in Space*, répondit Libbets. Et *Star Trek* à sept heures.

Davenport prit autant de soin à rouler le joint que s'il manipulait un détonateur.

— Tiens, tu pourrais pas aller voir s'il reste de la bière ?

— Dans la cuisine, dit Libbets en indiquant la direction du doigt.

Paul, traînant les pieds, retourna dans le vestibule et entra dans la salle à manger où un immense tableau représentant la famille Casey — Libbets, assise sur les genoux de son père, était la plus jeune des six enfants — occupait presque tout un mur. Il resta planté devant, dans la pénombre.

— Non, pas ici, dit Libbets en se penchant dans le vestibule, adossée contre la porte. A droite, par là.

— Je regardais, c'est tout.

La cuisine était tout en longueur. Vide. Immaculée. Paul eut envie d'y déverser des colonies de cafards et de rats, de peindre des graffitis sur les murs, de cracher par terre.

Paul élabora son plan. Il sortit un pack de Heineken du frigo et quitta la pièce.

— Frankie les ouvre avec les dents, pouffa Libbets quand il revint dans le salon.

Ce n'était pas nouveau. Ça faisait partie du numéro d'amuseur public de Davenport. Paul s'y était essayé à une ou deux reprises, avec de douloureux résultats. Il était sagement revenu à l'ouvre-bouteilles, finalement fait pour ça. Davenport, après avoir fini de préparer le deuxième joint, utilisa ses molaires pour décapsuler une Heineken.

— Bonjour les plombages, Charles !

Il ouvrit les deux autres, les fit circuler, et alluma un joint.

— Ça va être complètement gelé, dehors, dit Davenport. Complètement.

— C'est vrai, Paulie. Tu vas pas avoir de problèmes pour rentrer chez toi ?

Ils lui transmirent l'épouvantable bulletin météo : la brusque baisse de température, les routes transformées en patinoires, les arbres arrachés...

— Tu ne pourras même pas prendre un taxi, et les aéroports vont tous fermer, il faudra se faire livrer la bouffe, et le reste...

Libbets mit une cassette des Allman Brothers — la télé marchait toujours, sans le son — et ils discutèrent de Duane et du crash.

Ils burent. Ils fumèrent les joints. Vite. Comme s'ils y étaient en quelque sorte contraints.

Les quatre mouvements symphoniques des saisons avaient beau se répéter tous les ans depuis la nuit des temps, Paul avait l'impression de découvrir pour la première fois la pluie, le vent, la pression atmosphérique. La logique spécieuse de la marijuana commençait à s'emparer de son esprit. *Six Crises*, par exemple, absorbait totalement son attention. Il aspira une bouffée d'air : l'énormité de l'affaire Nixon ! Rapidement, il passa en revue les étapes marquantes de sa vie — la mort de ses grands-parents, sa première raclée, le vol de son vélo, l'alcoolisme de son père, son éviction de l'équipe de foot de St. Pete, et la fois où, en 6e, sa mère lui avait fait porter un collant pour jouer un page dans le spectacle donné par l'école à Noël. Ça faisait six crises. Dans un éclair d'illumination illusoire, il vit que la vie, toutes les vies, pouvaient entrer dans cette systématisation géniale. La vie de Libbets. La vie de Davenport. Même la vie de Daisy, sa chienne. Et puis Paul pensa au Watergate, une *septième crise*.

— Merde, dit-il.

— Depuis combien de temps on est là ? demanda Libbets. Je suis tellement stoned...

— Sept minutes, dit Davenport.

Paul ouvrit un œil.

— Il reste beaucoup de bières ?

Se penchant vers lui, Davenport lui vrilla son index sur le torse.

— Comment est-ce que tu veux qu'on le sache ? C'est toi, le responsable de la cuisine, cow-boy.

Rires. Paul se leva pour aller chercher d'autres bières, sans cesser de s'interroger. Oui ou non, Davenport et Libbets essayaient-ils de se débarrasser de lui ? Tout portait à le croire. Ça se voyait à leurs expressions. Ils utilisaient un genre de code, fait de rictus et de grimaces. Paul se souvint qu'il en était arrivé à la même conclusion, tout à l'heure. Ses méninges ne fonctionnaient plus assez longtemps pour tenir un raisonnement correct. Son esprit était une anguille gluante. Depuis combien de temps était-il là ?

Le deuxième pack fila encore plus vite que le premier. Paul prit soin de laisser Davenport boire plus que sa part. Libbets ne comptait pas. Elle s'abandonnait à son plaisir, c'est tout.

Paul dut s'éclipser.

M. et Mme Casey avaient décoré leur salle de bains dans un style adapté à leur âge et à leurs besoins. Savonnette à la lavande en forme de coquillage — incontournable, tout foyer qui se respectait en possédait une — posée sur un porte-savon en porcelaine. Papier mural fleuri — petits brins de lavande, là aussi —, avec serviettes et papier-toilette assortis. Il trouva ce qu'il cherchait dans la pharmacie : phénobarbital, Valium, Séconal, et un vieux remède, l'élixir parégorique.

Les cachets de Séconal l'intéressaient particulièrement.

Avant de mettre la deuxième étape de son plan en application, il baissa toutefois la fermeture éclair de son jean et se prit en main. Un effet inévitable du shoot. Dès qu'il se sentait irritable ou triste, Paul avait remarqué qu'il était poussé à ce genre de plaisir solitaire. Il avait mis au point un certain nombre de scénarios de masturbation compliqués. Par exemple, il aimait commencer quand la trotteuse de sa montre passait précisément à midi, et terminer avant qu'elle ait fait deux fois le tour du cadran. Il aimait aussi se branler en feuilletant l'album de l'école. Encore que, une fois, il était tombé par hasard sur la photo de Libbets. Ça lui avait coupé tous ses effets. Il ne pouvait pas faire ce genre de truc devant une fille aussi adorable. Elle était bien trop pure, trop belle.

Mais aujourd'hui, c'était différent. Aujourd'hui, il bandait. Des éclairs de lumière chaude coururent dans son bas-ventre, dans son sexe. Son extase était religieuse. Son orgasme compenserait les misères de cette chienne de vie. Il était sur le point de déverser sa semence dans le lavabo quand un coup à la porte l'interrompit.

— Hé, champion ! l'appela Davenport depuis le couloir. Qu'est-ce que tu fous là-dedans ? On s'emmerde, nous... Tu nous manques. Allez, sors de là.

— Faut que je décharge, d'abord...

— O.K., mais magne-toi. Y a pas de raison que tu t'amuses tout seul. On veut participer.

Paul éjacula. Se passa de l'eau dans les cheveux. Respira un grand coup. Retourna dans le salon. *Star Trek* à la télé. *American Beauty* sur la chaîne.

— Pourquoi t'as été si long ? demanda Libbets.

— Je jetais un œil dans la pharmacie de tes vieux. Ils ont de la came intéressante.

Davenport tendit l'oreille.

— Qu'est-ce t'as trouvé ?

— Hé, une minute, les gars, dit Libbets. Vous ne comptez pas prendre des médicaments dans la pharmacie de mes parents sans autorisation ?

— Ça ne nous effleure même pas l'esprit, *baby*, dit Davenport.

Il retenait sa respiration pour garder la dernière bouffée du deuxième joint, de sorte que sa voix était rauque et tendue.

— Doit-on comprendre que tu n'as pas profité de cette manne à portée de main ? reprit-il.

— Y a ce qu'il faut, insista Paul en se laissant tomber sur le canapé. Calmants et somnifères.

Davenport hocha la tête d'un air satisfait :

— Combinés à petites doses avec l'alcool, ça donne un mélange détonant très prometteur.

— Je vais voir moi-même, dit Libbets.

Dès qu'elle fut partie, l'attitude de Davenport changea. Vraiment curieux. Soudain, il redevint le vieux copain de toujours. Ils avaient vécu pas mal de trucs ensemble, et ils pouvaient encore se fendre la pêche en se foutant de la gueule des autres. Qu'il ait l'air con avec son bandeau sur le front et sa barbe simiesque n'avait finalement pas grande importance. Ça n'empêchait pas Paul de l'apprécier.

Ils parlèrent. Ils rirent. Ils chantèrent, même.

— O.K., annonça Libbets en revenant. Il y en a autant qu'on veut. Je ne crois pas qu'ils verront la différence. Lequel serait le mieux ?

— Le Séconal, déclara Paul, catégorique.

— Du moment que c'est efficace, dit Davenport, je ne suis pas difficile.

— Vous ne pensez pas que ça risque de poser un problème, avec les bières ?

— Vérifie la date de péremption. Mais tout ça m'a l'air plutôt frais !

Leur avidité balaya toute hésitation. Bientôt, tous trois s'entassaient dans la salle de bains, devant la pharmacie, pour examiner les petits flacons remplis de cachets. Libbets tremblait alors qu'elle les distribuait. Et Paul en fut ému. Il posa sa main, légèrement, sur son épaule. Le remarqua-t-elle ? Chacun monologuait, racontant ses propres expériences de shoot aux autres qui n'écoutaient pas.

Davenport étudia les cachets avec fascination, comme un amateur de vins devant un grand cru.

Paul avait glissé le sien sous sa langue.

Il éprouvait tout de même quelques remords à entraîner Davenport sur cette pente, mais au bout du compte, d'ici la semaine suivante, ils se seraient pardonnés.

— Hé, tu devrais peut-être pas en prendre un entier, dit Hood à Libbets. T'as qu'à en mettre la moitié dans un jus d'orange... Tu pèses bien moins lourd que nous.

— Dites donc, les gars, vous n'essayeriez pas de...

Elle avait l'air au bord des larmes. Paul secoua la tête. Elle avala le cachet.

— Tu rigoles ? dit Davenport. Tu crois qu'on voudrait profiter de toi pendant que tu dors, c'est ça ?

Il eut un rire sans joie. Libbets avait de la poitrine et des hanches. Pour tout dire, elle était tout en courbes souples, dissimulées sous son pantalon militaire trop large et son sweat. Deux contre une, c'était l'idée de Davenport. Les parents de Libbets ne rentreraient pas avant plusieurs jours. Non. Paul ne le laisserait pas faire. Il la défendrait contre lui. Prends-moi si tu veux, mais pas elle.

— Mais non... dit Davenport. A une époque, on aimait bien les filles shootées, mais ça nous a passé.

Le temps s'éternisait. Le monde était secoué par les guerres et les catastrophes naturelles, mais tout se déroulait au ralenti. Paul enfouit sa gélule au pied d'une plante verte, près de la fenêtre. L'alchimie de l'herbe et de la bière produisait son effet. Une discussion interminable et alambiquée s'engagea pour savoir si oui ou non ça valait la peine d'aller dans une discothèque. Sue Richards rejoindrait-elle Reed Richards ? Francis Ford Coppola tournerait-il une suite du *Parrain* ? Les mondes réel et imaginaire se côtoyaient, les choix et les conclusions surgissaient, s'évanouissaient. Davenport s'installa sur le canapé pour regarder la fin de *Star Trek* sans le son. Il ne se réveillerait pas avant douze heures au moins.

— Je suis un con, Libbets, dit Paul. Je...

— Hein ? Viens dans la bibliothèque. On va le laisser dormir.

— Il est complètement raide. Ça durera pas.

— Tu crois pas qu'on devrait manger quelque chose ?

Mais ils ne pouvaient se résoudre à quitter Davenport.

— Je me demande quel temps il fait...

— Je te l'ai déjà dit. Il neige. C'est la cata.

— Le dernier train pour Stamford part à... Oh, merde ! Il faut que je le prenne, sinon je suis foutu...

« Viens, on va dans ta chambre.

— Pardon ? dit-elle.

— Je voudrais te montrer mes estampes.

— Tes estampes ?

— Je plaisante. Allez... j'ai juste envie de parler. Y a des trucs que je voudrais te dire.

Libbets ne savait trop sur quel pied danser.

— Hé, Libbets... tu te serais pas servie de moi par hasard ? T'aurais pas invité Davenport parce que t'avais peur d'être toute seule avec moi ? T'as pas peur de moi quand même, hein ? J'ai fait du chemin pour venir te voir, tu sais. Tu m'aurais pas fait ça, hein, Libbets ? Libbets... ?

DEUXIÈME PARTIE

Les teintes vives des années 60 avaient disparu des intérieurs contemporains. Si, par le passé, les ménagères, dans le Connecticut du Sud, avaient adopté, quoique prudemment, les néons clinquants et les couleurs tapageuses, elles étaient, en 1973, revenues à des teintes pastel et à des tons sobres. Des motifs discrets figuraient sur les tapisseries et les tentures, encore que l'on pût également trouver dans ces articles des mariages de couleurs inattendus, tels que puce et gris, ou lavande et ocre. Les tissus eux-mêmes étaient plus solides qu'auparavant. Les textiles synthétiques, polyesters et acryliques, dominaient. Le plastique s'était lui aussi bien implanté dans les foyers. Tables basses, étagères réglables, ustensiles de cuisine et luminaires... du sol au plafond, il était désormais possible de se meubler en plastique.

Côté salon, la chauffeuse avait détrôné le canapé. La simplicité était de mise dans ses formes souples, rondes, sans angles durs. L'avantage de ces chauffeuses résidait entre autres dans leur maniabilité et la variété de configurations qu'elles permettaient. Le canapé traditionnel — et avec lui la causeuse, le divan et le pouf — était à présent boycotté.

Benjamin Hood était toutefois à cent lieues de ces considérations quand il prit la main de son épouse — ce qui lui permit de sentir son alliance et les crevasses qui l'entouraient. Elle aurait dû mettre de la crème. Ils entrèrent dans la maison, traversèrent le grand vestibule avec son impressionnante sculpture moderne — une espèce de poutre en guimauve enchevêtrée dans une hélice torturée — et aperçurent les premiers invités dans le couloir. A ce moment-là, Hood prit conscience d'une chose : son nœud papillon n'était plus dans le coup.

En fait, les pulls bien moelleux, bien épais, d'origine néerlandaise, régnaient en maîtres dans la grande salle de Dorothy et de Robert Halford. On comptait encore quelques vieilles vestes de tweed, mais pas de nœuds papillons. Hood ne portait pas de mocassins blancs, ni de costume croisé. Il n'avait pas non plus les cheveux longs. A la rigueur, il pouvait se consoler en songeant à la largeur de son col de chemise étalé sur le revers de sa veste. Pourquoi avait-il choisi ce nœud papillon, bon sang de bonsoir ? Il avait pourtant des glaces, chez lui... Tout ça parce qu'il aimait sentir la douceur de la soie contre son cou, sur sa peau irritée par le feu de son Wilkinson double lame. Quelques mois plus tôt, Benjamin Hood traversait l'existence avec la certitude que sa tenue était en accord avec la mode du moment. Mais, brusquement, il se sentait isolé, ridicule. Elena, avec son pull, son pantalon de lainage et ses grosses chaussettes, était dans le ton, mais lui, non.

Chez les femmes, la jupe mi-longue, digne et élégante, était à l'honneur, même si les jupes courtes avaient encore droit de cité. Là aussi, les pulls constituaient l'élément incontournable, si pratique et offrant une infinie diversité de styles. Cachemire, mohair, shetland. Pulls, pulls, pulls... Et perles.

Dorothy Halford leur tomba dessus dans le vestibule en agitant un toast au céleri recouvert d'une sauce orangée. Dot portait un pull bleu et gris sur un fin chemisier en crêpe de Chine, un pantalon de flanelle grise et un béret de velours noir. Pas de maquillage. C'était une femme de petite taille. Il y avait quelque chose de Katharine Ross en elle, dans ses manières rassurantes, son sourire angélique. Radieuse, elle sembla ne pas accorder la moindre attention à la tenue de ses invités, et ne remarqua pas leur récent différend tant leurs sourires étaient empressés.

— Elena, Ben ! Je suis si contente ! Si contente de vous voir !

Elle avala la dernière bouchée de son toast et, avec une moue boudeuse d'adolescente, embrassa le vide près de l'oreille de Ben et pressa Elena contre elle. Elle attrapa ensuite un saladier blanc posé sur un guéridon et le leur tendit.

— Vous avez envie de jouer ?

Il fallut un instant à Ben pour réaliser l'énormité de ce qu'impliquait ce saladier. Au début, il crut à une plaisanterie. Le genre de blague dont on rit bien fort pour masquer le fait qu'on n'a pas compris la chute. Mais en examinant de plus près le contenu de la jatte, il n'eut plus aucun doute. Des trousseaux de clés. Des clés qui tintaient agréablement contre les parois du récipient, accrochées à des porte-clés divers : un petit cheval en plastique blanc, un troll norvégien aux cheveux rouges, une cannette de Lowenbrau miniature... Dorothy guettait la réaction de ses nouveaux invités. Ben sentait son regard sur eux. Elle les observait comme un dentiste à l'affût de la plus petite manifestation de douleur.

— Rien ne vous y oblige, naturellement, dit-elle.

Vous pouvez mettre vos manteaux dans la bibliothèque, si vous voulez.

— Oh, flûte ! dit Elena en souriant. J'ai laissé les...

— Tu as...

— Dans la voiture, oui.

— Ah oui, c'est vrai, renchérit Ben. Nous revenons tout de suite, Dot.

Ils venaient à peine d'arriver qu'ils étaient déjà repartis. Ratatinés derrière le pare-brise embué, la soufflerie à fond, ils grelottaient dans la Firebird garée parmi les Cadillac, les BMW, les Plymouth Duster... Et les Coccinelles, ces voitures créées pour le peuple.

Le jeu des clés est né quelques années auparavant, dans un contexte de plus grande liberté. Il est peut-être apparu à l'ère de l'érotisme hippie et des orgies babas cool, dans les appartements minuscules de professeurs peu regardants. Ou dans le royaume de la promiscuité sexuelle parmi ceux qui ne faisaient aucune distinction entre les sexes ou qui glissaient dans les eaux tiédasses des marécages amoureux. Mais, à l'instar de tant d'idées raisonnables qui semblent déjà moins brillantes quand elles sont appliquées, ce jeu fut bientôt exporté dans le pays des haies bien coupées et des kermesses paroissiales et perdit de son prestige.

La règle était d'une simplicité enfantine. Les hommes jetaient leurs trousseaux de clés dans un récipient — ou les accrochaient à un tableau, quand ils ne les déposaient pas sur un buffet — et les femmes, à la fin de la soirée, en choisissaient un. A partir de là, les couples désignés par le hasard se retiraient pour goûter à l'ivresse de la nouveauté. Parfois les hommes assistaient à cet instant fatidique du choix — le regard concupiscent, ravi, angoissé, déçu ou désespéré. Parfois aussi, les femmes avaient les yeux bandés par des bas de soie noire ou tout autre article suggestif. Parfois encore, la cérémonie se déroulait avec une résignation dénuée de toute gaieté, comme si les participants se trouvaient malgré eux entraînés dans l'engrenage du vice.

A New Canaan, on parlait déjà du jeu bien avant qu'il n'ait réellement fait son apparition. Les couples de la ville attendaient l'occasion d'y participer avec l'impatience contenue d'un garçon qui, ayant appris par cœur la définition de la masturbation dans le dictionnaire, attend le jour où il pourra la mettre en pratique. Le premier qui osa organiser une partie fut un jeune cadre, plus audacieux que dynamique, et son initiative fut accueillie avec mépris. Même en privé, l'intérêt fut grand. Et cette attitude contradictoire fit très vite partie du jeu. Chez les Armitage, au cours de l'été 72, les associés de compagnies juridiques s'échangèrent leurs épouses, et les femmes purent ainsi, entre amies, comparer les prouesses et le capital anatomique de ces messieurs.

Les échos de ces premières parties fines mirent quelque temps à se faire entendre. Mais les révélations de ces secrets d'alcôve n'eurent rien de révolutionnaire. Pas de vices cachés chez son voisin — pas d'urolagnie, de masochisme ou de coprophagie. En fait, les invités des Armitage s'accouplèrent comme ils l'avaient toujours fait avec leur partenaire habituel, ni plus ni moins. Mais ils affichèrent dès lors une désinvolture inaccoutumée. Pendant un jour ou deux, leurs cœurs battirent avec l'exaltation grisante de la nouveauté.

Puis le silence retomba sur les participants. On murmura, cet automne-là, dans les cocktails et sur les courts de tennis, que des liaisons s'étaient nouées entre certains couples dont la nuit de passion n'aurait jamais dû connaître de suite. Encore que cette rumeur ne fût pas prouvée. Annie Buckley le dit à Maria Smith qui le répéta à Maura O'Brien qui en parla à son mari Phil O'Brien, l'urologue, qui, alors même qu'il lui palpait la prostate, en causa à Steve Buckley qui le confia à sa femme, Annie, qui le savait déjà. Il devenait impossible de ne pas en parler. Le jeu des clés persista. S'implanta.

Comment Benjamin et Elena avaient-ils pu être aussi bêtes ? Ils auraient dû s'en douter. On n'indiquait pas ce genre de chose sur le carton d'invitation, bien sûr, mais le téléphone arabe fonctionnait plutôt bien. Évidemment, il fallait déjà être dans le circuit pour savoir. Or les Hood n'avaient jamais participé à ce petit jeu, non pas parce qu'ils avaient refusé, mais tout bonnement parce qu'on ne les y avait jamais invités.

De toute façon, se dit Benjamin, ce n'était pas le style d'Elena.

Il se tracassa de nouveau pour son nœud papillon. Tendant le cou pour se voir dans le rétroviseur, il le dénoua et le glissa dans sa poche en soupirant, soulagé.

— Le moment est vraiment mal choisi, dit Elena.

Il fit de son mieux pour esquiver le désarroi agressif de sa femme et essuya sa vitre embuée avec son mouchoir.

— Je sais. Si encore on avait deviné, on aurait pu inventer une excuse. Tiens, il doit y avoir un sachet de Kleenex, là-dedans.

Elle ouvrit la boîte à gants.

— Alors ?...

Il rencontra la froideur de ses yeux pâles, très

pâles. Elle avait laissé ses lunettes à la maison. Quelque part au cours de leur pénible discussion, elle les avait retirées. (Pendant un temps, elle avait porté des verres de contact, qui s'encrassaient dans l'air pollué dès qu'elle les mettait, ou qui tombaient sans prévenir, les obligeant à se mettre à quatre pattes et à ratisser les tapis au beau milieu d'une réception.)

— Je pense que nous ne sommes pas obligés de rester, dit-il. On peut se contenter de se montrer et ensuite, on rentre.

Il sentit qu'elle ne partagerait pas son avis.

— Bon sang, Ben...

— Si je reste, ce n'est pas pour rentrer avec la femme d'un autre, ma chérie. Soyons francs... Ce n'est pas la raison de notre présence ici, d'accord ? On est des voisins, c'est tout, et on va participer aimablement à cette soirée. Après, on rentrera.

— Tu vas...

— Non.

— Ce que je pense, moi, si tu veux savoir la vérité, c'est que tu as un code. Tu as un code et tu vas mettre tes clés dans le saladier pour que Janey les choisisse, et quand je rentrerai à la maison, ce sera pour vous y trouver tous les deux, et Wendy vous entendra, dans la chambre, et Paul sera rentré, lui aussi, et il vous entendra. Voilà ce que je pense. Elle sera en train de gémir, de crier, de secouer le lit, et je vous tomberai dessus...

Elena manifestait toujours sa détresse par un faible sourire — il attribuait cela à ce qu'elle avait vécu durant son enfance — et, à cet instant, elle souriait. D'une certaine façon, c'était un sourire diabolique, celui d'un conspirateur ou d'un politicien. Elle se frotta les yeux, elle avait le nez rouge.

— Elena... dit-il.

Il essaya de lui prendre les mains.

— Ce n'est pas ce que tu penses. Je ne complote rien du tout. Sincèrement. Sincèrement... Je ne sais pas si tu veux en parler maintenant, mais c'est quelque chose qui... qui me pousse à agir malgré moi. Je n'en suis pas très fier, tu sais. Au contraire. Je suis conscient d'avoir agi contre ma volonté, et j'ignore pourquoi. Donc je n'ai pas l'intention de recommencer ce soir, Elena. C'est une promesse... solennelle.

— Ravie d'entendre tes aveux. Ça me comble de joie.

Il se tut. Arrêta le dégivrage pour mettre le chauffage. L'air s'engouffra dans les ventilateurs du tableau de bord.

— Tu as l'impression de me protéger des vices du monde, dit-elle. Mais ce n'est pas vrai. Et en plus, je n'ai pas besoin de ta protection, tu sais. Je n'en ai pas besoin.

— Oh, arrête... Tu t'énerves pour le seul plaisir de t'énerver.

— Merci pour le diagnostic, Ben ! On voit que la proximité de Silver Meadow t'a ouvert l'esprit. Parce que tu es très ouvert, ce soir. Très magnanime. Mais il ne faudrait pas me prendre comme cobaye pour jouer au psychothérapeute, tout de même. Alors on va aller rejoindre nos chers voisins, puisque c'est ce que tu veux. On y va. Je préfère encore parler à n'importe qui plutôt qu'à toi.

Elle resserra sur elle son imperméable Dubarry et sortit de la Firebird avant de claquer la portière, le plantant là, tout seul.

Hood se pencha et fouilla dans la boîte à gants. Il trouva la flasque et, d'un geste désinvolte, porta un toast en direction de sa femme.

Il était le premier surpris de la facilité avec

laquelle il se mentait à lui-même et niait délibérément ses motivations. Il leva donc de nouveau sa flasque de scotch — que le chauffage avait rendu tiédasse —, refusant de se poser la moindre question sur le jeu des clés ou sur ses conséquences. Il participerait.

Quand il entra dans la maison à la suite d'Elena, quelques minutes plus tard, Hood était bien remonté. Il joua des coudes pour écarter les Sawyer qui bavardaient avec Dot Halford dans le vestibule, et s'insinua dans la conversation. Il voulait le saladier.

— Content de participer, marmonna-t-il.

Et, d'un geste cavalier, il jeta ses clés à Dot, comme si elle n'était qu'un valet chargé de garer les voitures. Elle resta figée une fraction de seconde, sa bouche rouge cerise grande ouverte, puis se ressaisit juste à temps pour attraper le trousseau qui alla rejoindre les autres. Dot fronça les sourcils. Les Sawyer ne firent aucun commentaire.

La sensation grisante s'évapora presque immédiatement. Dans la grande salle, noyé parmi une foule de gens qu'il n'avait jamais rencontrés, des gens pouffant en sourdine ou discutant des intempéries, du saladier, de la réception, de leur dernière partie de tennis, il tomba sur George Clair. Du bureau, Benjamin mettait le cap sur le buffet pour se servir un verre quand il lui apparut, avec son foulard de soie et son blazer marine, lui bloquant le passage.

Grâce à l'audace et à la créativité de ses fondateurs, Shackley et Schwimmer s'était dès le début imposée comme l'une des meilleures compagnies de courtage de la place. Ce qui n'empêchait pas lesdits fondateurs de se montrer à des soirées du comité de soutien aux Black Panthers, de militer contre la guerre du Vietnam et de flirter plus ou moins avec le communisme.

Qu'avaient-ils de plus que les autres ? L'intelligence. La réputation de Shackley et Schwimmer reposait sur cette simple constatation. Avant S & S, le courtage n'était qu'un monde de bonne entente et de fraternité. Des personnes qui étaient allées dans les mêmes pensions et qui étaient inscrites dans le même club de squash traitaient ensemble leurs affaires. Shackley et Schwimmer, eux, opposaient à cette vieille garde un mépris universitaire, et des statistiques : dettes, bénéfices, amortissements, dividendes... Un peu d'analyses, quelques bons tuyaux... Les autres compagnies n'étaient pas prêtes pour ça et elles accusèrent très mal le coup. C'est à peu près vers cette époque que Shackley lui-même conçut une campagne publicitaire, que réalisa une grande agence de Madison Avenue, dans laquelle chaque membre de l'équipe S & S fut présenté en pleine page dans plusieurs journaux. Un portrait énorme, retouché, avec une légende au-dessous.

Hood se rappelait encore le sien, en 1969, avec un mélange de fierté et d'embarras. « Benjamin Paul Hood, université de Dartmouth, 1957, Boston, 1958-1965. Shackley et Schwimmer, 1965. Spécialité : médias et show-business. Spéculations : à la baisse. » Ensuite venait le slogan provocateur de la compagnie : *Shackley et Schwimmer — la sagesse conventionnelle a tort*.

Dans les jours qui suivirent cette publicité, personne, ni au supermarché, ni au country club, n'y fit allusion. C'était comme si la page en question n'avait jamais été publiée. Personne n'en parla. Ou peut-être le coiffeur et la femme de ménage, mais personne d'autre. Hood se demanda si c'était dû à la photo elle-même, qui avait été retouchée afin qu'il paraisse à son avantage. Elena n'avait pas non plus fait la moindre remarque sur cette pub.

Les problèmes, au bureau, avaient commencé à l'époque de cette parution. George Clair, diplômé de Harvard, avait été engagé peu de temps après, en 1969 ; il avait alors vingt-quatre ans.

Clair donna un sens nouveau à la notion de culture d'emprunt. Il ne manquait jamais une occasion de proférer des lieux communs sur le blocage des salaires ou sur la dette sud-américaine, mais, surtout, il s'appropriait certains messages simplistes piochés dans les films, les chansons, les publicités, qu'il colportait ensuite dans les bureaux de ses supérieurs. *Le film le plus érotique jamais tourné*, avait-il proclamé à sa secrétaire à propos du *Dernier Tango à Paris*, avec son expression à la fois faussement sérieuse et sournoisement timide. *Le plus érotique*, répéta-t-il en se grattant l'oreille avec le petit doigt. Il fonça ensuite au bout du couloir pour accrocher un des représentants :

— Hé, Shachter, tu as vu *Le Dernier Tango* ? Qu'est-ce que tu penses de l'histoire, hein ? C'est le film le plus érotique jamais réalisé, vieux !

Shachter releva le nez du téléphone, acquiesça d'un vague geste de la main et s'adressa à son interlocuteur :

— Clair dit qu'il a vu *Le Dernier Tango*. On n'a jamais fait plus érotique, il paraît.

Hood commença à être mis en quarantaine peu après l'arrivée de Clair. Personne ne voulait plus entendre aux réunions ses opinions, ses estimations quant aux tendances présentes ou à venir. Les commerciaux tardaient de plus en plus à lui remettre leurs rapports, ou bien ils vérifiaient ses calculs derrière son dos. Ou bien encore ils lui demandaient quelles étaient ses sources, comme s'ils doutaient de ses informations. Ce fut un long, un lent processus d'isolement. Bientôt, Shackley lui-même passa dans l'autre camp. Hood fut convoqué dans son bureau afin d'expliquer la raison pour laquelle il n'avait pas été fichu de deviner le récent profit dont Gulf & Western bénéficiait grâce à *Billy Jack*.

— Vous ne trouvez pas qu'on aurait pu le prévoir ? dit-il.

Billy Jack ? Qui aurait pu prédire le soudain succès de ce Tom Laughlin, ce contestataire patenté, ce hippie sur le retour avec son chapeau d'Indien, qui éliminait ses ennemis dans des combats d'arts martiaux ? Personne. Absolument personne. Sauf, évidemment, George Clair.

A partir de là, la situation se dégrada de jour en jour. Clair fut le premier à suggérer que la vidéo et le super-8 seraient bientôt à la portée de tous et bouleverseraient le monde audiovisuel. Il fut le premier à comprendre l'importance des formats tabloïds. Aux réunions hebdomadaires, il intervenait sans cesse pour informer les participants du cours des valeurs des entreprises de médias et du spectacle. Non qu'il tînt à s'occuper des actions du show-business. Il voulait simplement prendre la place de Benjamin Hood, prendre l'air, l'eau et l'espace, le salaire et le bureau de Benjamin Hood.

A l'époque où la photo publicitaire de Clair parut dans le *Journal*, en 1971, Hood commençait déjà à se sentir mitraillé de tous côtés. On oubliait de l'inviter pour un déjeuner important, on n'inscrivait pas son nom sur un mémo essentiel, on ne lui confiait pas les bons tuyaux boursiers. L'hypocrisie et la malveillance s'acharnaient sur lui. Il y avait tout de même un côté positif à la situation : il pouvait lire les rapports annuels en paix, il pouvait les emprunter à la bibliothèque de la compagnie et les garder pendant des semaines. Il pouvait faire ses mots croisés. Le téléphone ne sonnait plus jamais sur son bureau.

Bien entendu, il devinait les problèmes qui l'attendaient au tournant. Mais il n'en avait pas parlé à sa femme, n'avait pas cherché conseil auprès de ses amis, n'avait pas voulu envisager l'avenir. Il se sentait incapable d'en parler à voix haute. Il aurait eu trop peur de précipiter l'échéance.

Tout en se massacrant le visage le matin avec son Wilkinson double lame, Hood jurait que pour rien au monde il ne vivrait dans la peau d'un George Clair, aux dépens des autres... si toutefois il retravaillait un jour — après que la lettre fatidique de licenciement serait tombée dans sa boîte aux lettres. Il serait un superviseur bienveillant, un ami-confident des employés, hommes et femmes, quelle que soit leur position sur l'échelle sociale. En attendant, il arrivait en retard au bureau et engueulait sa secrétaire, Madeleine, parce qu'elle n'avait pas mis assez de sucre dans son café. *Bougez-vous et allez me chercher une autre tasse !* Il creusait sa propre tombe et la gardait bien cachée en lui telle la perle dans l'huître.

— Clair, George Clair ! dit-il en remplissant son verre dans lequel il laissa tomber un cube de glace. Quelle surprise !

— Benjie !

Ils échangèrent une poignée de main ferme. L'expression de Clair était avenante et légèrement étonnée.

— Qu'est-ce que vous foutez à New Canaan? demanda Hood.

— Oh, vous allez rire, Benjamin. J'ai discuté avec certains investisseurs — un petit projet personnel, vous comprenez, juste entre vous et moi — à propos d'un nouveau conditionnement en polystyrène. Ce sont des petites pièces en forme de S qui peuvent empêcher un objet de recevoir des coups pendant le transport. Tout à fait miraculeux. Vraiment remarquable. Des articles fragiles, ballottés pendant le voyage, arrivent intacts à destination. Ça va faire un tabac sur tout le continent! Enfin bref, la coïncidence veut que le cerveau de ce projet ne soit autre que votre voisin Jim Williams. Étonnant, non?

Clair avala une rasade de son verre. Benjamin sentit le sang lui monter au visage. La coopération de Clair et de Jim Williams annonçait une fusion de mauvaises énergies dans l'univers. C'était le signe avant-coureur d'un ordre qui lui glaçait le sang.

Hood haïssait Clair. Jamais il n'avait rencontré quelqu'un de plus faux. Tout en lui était factice : sa culture, son caractère, ses motivations. Il lui démangeait de serrer ce foulard ridicule autour de son cou et de le regarder éclater comme un ballon.

— Eh bien... dit-il cependant, pour une coïncidence, c'est une drôle de coïncidence, hein? Un vrai rêveur, ce Jim Williams. Et le genre de type qui arrive à faire de ses rêves quelque chose de... de bien concret.

— Vous pouvez le dire. Dites donc, Benjie, qu'est-ce que vous pensez de *L'Exorciste*? Vous savez, ce film réalisé d'après la nouvelle de William Peter Blatty? Vous croyez que ça va marcher?

— Je ne vois vraiment pas comment, répondit

Hood. La vedette est une gamine. Et une histoire de sorcellerie ou je ne sais quoi... Encore, si la petite était possédée par un esprit indien désireux de se venger des Blancs qui lui ont volé ses terres... Non, franchement, George... Vous savez ce qui me plaît, en ce moment ? Les films catastrophe.

A partir de là, il savait ce qui allait se passer. Ce serait à qui arriverait le premier à fausser compagnie à l'autre. Clair n'avait pas plus envie que lui de prolonger cette conversation. Donc ils allaient brusquement, à l'unisson, foncer vers les hors-d'œuvre — *Allez, content de vous avoir vu, à lundi.* Ou reconnaître quelqu'un parmi la foule des invités. Le premier à se tirer de là aurait gagné. Hood fouillait déjà distraitement la salle du regard tout en parlant. Alors qu'il arrivait au mot *catastrophe*, il aperçut sa maîtresse, Janey Williams, l'épouse du roi des petits S en polystyrène, de l'autre côté de la pièce.

— Mon vieux, marmonna-t-il, content de...

Il s'interrompit net. Clair était déjà accaparé ailleurs. Il discutait avec Maura O'Brien. Sans doute pour obtenir des conseils à bas prix.

Janey était toute de noir vêtue, ensemble de soie fluide, tunique ouverte jusque sous les seins. Un collier de turquoises ornait son décolleté. Pas de soutien-gorge. Alors qu'elle se penchait pour saisir un verre, elle retint sa tunique de la main. Son rouge à lèvres et son fard à paupières bruns étaient assortis à ses talons aiguilles. Ses cheveux platine ondulaient sur ses épaules, telle une cascade en fibre de verre. La première impression de Hood fut celle d'une réunion, d'une conjonction, comme s'il était la clé et elle la serrure. Mais ce sentiment vira à l'amertume quand il se souvint de l'après-midi.

Janey affectait d'être occupée à arranger les

fleurs dans un vase près d'une chaise trapèze — chrome, acier et caoutchouc — où le chat de la maison était roulé en boule. Hood se précipita vers elle, comme tout amant éconduit qui se respecte.

— Oh, Benjie... dit-elle en tripotant ses turquoises. Tu es là ?

— Comme tu vois. Mais où étais-tu passée, bon Dieu ?

— De quoi parles-tu ?

— Ne joue pas à ce petit jeu avec moi, Janey.

Hood s'exprimait à voix basse, mais les mots se déversaient de sa bouche et traduisaient sa rancœur. Il eut même l'horrible sensation, soudain, qu'il allait éclater en sanglots.

— J'ai attendu plus d'une heure, bon sang, dans le noir, en caleçon... Non, en fait, la lumière était allumée, si bien que n'importe qui aurait pu me voir en passant sous la fenêtre. Qu'est-ce qui s'est passé ?

Janey trempa les lèvres dans son verre qu'elle reposa ensuite sur la table, à côté du vase.

— Je me suis souvenue que j'avais des choses à faire.

— Quoi ? Qu'est-ce que ça veut dire ? Tu crois que...

— Écoute, Benjamin, j'ai des obligations qui priment ton... qui existaient avant que tu ne surgisses dans ma vie. Ce n'est pas parce qu'on s'est vus en privé une ou deux fois que... Je ne suis pas un jouet, Ben. Quand je me suis rappelé que j'avais certaines choses à faire pour la réception, je les ai faites, c'est tout. Je voulais m'en débarrasser avant de voir Jimmy. C'est comme ça.

Le chat s'étira sur la chaise, à côté d'eux. Le visage de Hood n'était qu'à quelques centimètres de celui de Janey.

— Je ne sais pas comment je dois prendre ça. Et qu'est-ce qu'il vient faire là, *Jimmy* ? Tu ne m'avais pas dit que... ?

— Tu peux le prendre comme tu veux, Benjamin, ça m'est égal. Désolée...

— Je n'arrive pas à croire que tu puisses être aussi...

La discussion tourna court. L'un et l'autre se mirent à écouter d'autres molécules de conversation se scinder, éclater. Elles circulaient dans la salle. Des bribes de phrases allaient et venaient, fragments évanescents. Les Mets de New York et la crise du pétrole, le Watergate et Billie Jean King, mais aussi la nomination inacceptable du nouveau directeur de l'école épiscopalienne — tout se mélangeait...

Janey alluma une Virginia Slims et inhala la fumée.

— Ça ne va pas trop bien en ce moment, dit Hood. Tu sais, Elena n'est pas heureuse du tout et ma situation au bureau devient vraiment désespérée. Alors si tu t'y mets aussi... Je ne comprends pas pourquoi tu es aussi dure, en plus. C'était sûrement bête de ma part, mais je comptais plus ou moins sur toi...

— Ce n'est pas moi qui suis dure, ce sont les circonstances. Et je vais te dire une bonne chose, Benjamin... Ta vie domestique n'est ni plus mauvaise ni meilleure qu'une autre. Chez moi, on vit chacun pour soi. J'ai mon étage, il a le sien. J'ai ma vie, il a la sienne. Et je ne compte pas sur un petit après-midi comme aujourd'hui pour tout améliorer. Deux heures avec toi ne changeront rien. Je n'ai pas l'intention de mettre ma famille et ma sécurité en danger rien que pour écouter tes problèmes de bureau, d'accord ?

— Mais pourquoi est-ce que tu ne me l'as pas dit ? On aurait pu en parler...

— Je...

— Et pourquoi as-tu laissé des dessous pour moi ?

— Quels dessous ? Je suis allée faire des courses chez Shopwell. Il fallait que j'achète quelque chose avant le retour de Jimmy. J'avais oublié. O.K. ? Mes réponses sont-elles satisfaisantes ? Pour qui tu te prends ? Un procureur ? Et qu'est-ce que c'est que cette histoire de dessous ?

— Non, rien...

— Benjamin...

— Un moment, en ne te voyant pas revenir, j'ai cru que tu t'étais cachée quelque part. Je croyais que peut-être tu...

— Que je quoi ?

— Je t'ai cherchée dans la maison, avoua-t-il gauchement.

Il avala d'un trait la fin de son verre ; son équilibre psychique n'était pas loin de rompre comme le premier étage d'une fusée Apollo. Il se délecta au souvenir des moments chauds, de la situation scabreuse.

— Je pensais que tu te cachais dans un placard, derrière un meuble ou je ne sais quoi. Enfin, je croyais que tu étais encore là. Et quand je suis arrivé dans la salle de bains, c'est là que j'ai vu ton porte-jarretelles. J'ai cru que ça faisait partie du jeu, comme un indice dans un jeu de piste romantique, si tu veux. Quelque chose à admirer, à respirer en pensant à toi, tu vois ce que je veux dire ?

— Tu as vraiment un grain, Benjamin. Je l'avais simplement laissé là pour qu'il sèche. Qu'est-ce que tu en as fait ?

Alors qu'il faisait le récit de son aventure, il

éprouvait à la fois de la honte et de la joie. Il savait qu'il avait souhaité être pris en faute. Et il était un menteur, en plus. Ses mensonges du passé virevoltèrent autour de lui ; il songea aux notes de frais gonflées et aux antisèches des examens.

— J'ai pris ton porte-jarretelles et l'ai mis dans le tiroir avec ses frères et sœurs. Avec les combinaisons, les caracos, les slips, les soutiens-gorge et les collants.

— Dieu du ciel, tu es réellement un cas, Benjamin ! Il faudrait te faire soigner. Qu'est-ce que tu as fait de ta femme ?

— Je ne sais pas. Elle était un peu perturbée par le... le saladier, à l'entrée. Elle a disparu aussitôt. Sûrement dans la cuisine. Elle doit mijoter quelque chose de louche.

Il eut un rire grinçant et désabusé.

Ils s'avancèrent vers le canapé, un Stendig, conçu par Ennio Chiggio et disposé en demi-cercle avec, au bout, une grosse apostrophe sur laquelle Hood posa ses pieds fatigués. Un groupe d'individus sérieux comme des papes, tous du quartier, étaient tassés à l'autre bout du canapé. Dave Gorman, un coureur renommé de New Canaan, évoquait les romans de Kurt Vonnegut Jr pour tenter d'impressionner une jeune et jolie femme assise à côté de lui. *Welcome to the Monkey House*, disait-il, avait eu une influence forte et originale sur lui. Personne, autour de lui, ne semblait avoir la moindre idée de ce dont il parlait. Gorman était dans l'import-export, ce que Hood traduisait par trafic de drogue. Et, comme pour confirmer ce point de vue, Gorman alluma une petite cigarette toute molle de marijuana.

Hood n'avait jamais fumé d'herbe, bien que les joints eussent commencé à apparaître dans les soirées de New Canaan — à la grande consternation de la vieille génération, établie depuis longtemps déjà dans la ville. Bientôt, toutefois, la cigarette arriva dans sa direction. Gorman s'immisça dans le silence renfrogné qui isolait Janey et Hood.

— Benjamin, vous ne voulez pas essayer? Ce truc-là donnera du sens aux grandes questions que vous vous posez. Je vous le garantis. Allez, offrez-vous ce plaisir, l'encouragea-t-il avec un sourire engageant.

— Merci pour le conseil, Dave, répondit Hood en refusant le joint d'un geste mou.

Cependant, soudain ébouriffé par un petit vent d'insouciance, il s'empara de la cigarette aromatique qu'il coinça entre ses lèvres. Il aspirait, gardant la fumée dans ses poumons, comme il l'avait vu faire à la télé.

— Bonne came, dit-il d'une voix éraillée en recrachant la fumée.

Il passa le joint à Janey.

— Évidemment que c'est de la bonne, dit Gorman. Il y a de l'opium. Ça fait un bout de temps que je l'avais en réserve.

— Il y a quoi, dedans?

— Vous énervez pas, Benjie, c'est...

— Oh, merde, Dave...

Hood se leva en chancelant, s'agrippa au dossier du canapé pour se stabiliser, et bascula, parce que ce canapé n'était en fin de compte que de la mousse de polyuréthanne. Il se redressa en se cramponnant à Janey, et se précipita vers le bar pour tenter de dissiper les vapeurs d'opium dans l'alcool.

Dans le brouhaha des conversations, il distingua des voix, comme un mélomane distingue des instruments particuliers dans le flux narratif d'un concerto ou d'une symphonie. Alors qu'il se servait un verre, un nom ne cessait de surgir, comme un leitmotiv. Milton Friedman. De l'autre côté de la salle, on louait cet économiste violemment opposé au blocage des salaires, et partisan de mesures aussi populaires que l'abolition de la Sécurité sociale, la suppression de l'aide gouvernementale à l'éducation et l'abrogation du salaire minimum.

— Washington traite un problème en lui substituant un autre problème, disait une voix tandis que Hood remplissait son verre de glaçons. Prenez le contrôle des prix sur les avions. Friedman en a parlé dans une interview. C'est comme ça que ça fonctionne... Si les prix n'étaient pas figés, on voyagerait sûrement pour moitié moins cher. Regardez la Californie... Elle a sa propre compagnie qui n'est pas tenue de respecter le contrôle des prix. Vous n'avez qu'à comparer Sacramento-Los Angeles sur la Pacific Northwest avec le prix « normal » entre Los Angeles et Reno — c'est plus ou moins la même distance. On gagne soixante pour cent par rapport au prix pratiqué par le gouvernement ! Vous vous rendez compte ?...

La pauvre Madeline Gadd s'était malencontreusement retrouvée là, à écouter ces conneries, et Hood ne fut pas surpris de la voir sortir un petit miroir pour rectifier son rouge à lèvres. Jack Moellering, l'apologiste de Friedman, tout en parlant, lorgnait la fente de la jupe qui remontait le long de la cuisse de Madeline.

— L'offre et la demande... moins de restrictions, professait-il. Moins de restrictions.

Le virus politique circulait décidément dans la pièce. A plusieurs mètres de là, près de la cheminée, Bobby Haskell, un type dont la conversation se bornait habituellement à un sujet — le ping-pong — à l'exclusion de tout autre, soutenait que les syndicats s'attribuaient en quelque sorte le monopole du travail, ce qui soulevait le problème du trust dans le monde ouvrier.

Ces thèmes qui se croisaient, s'entrelaçaient comme les portées musicales d'un duo, amenèrent Hood à considérer l'économie comme un opéra, tout simplement. Un opéra plein de rebondissements : le hasard d'une heureuse ou d'une mauvaise naissance, les flux et les reflux de fortunes honnêtes ou véreuses, l'effondrement et l'essor des statistiques gouvernementales. La masse monétaire, la relance du bâtiment, les biens de consommation, les stocks d'usine, le marché de l'automobile et, bien sûr, les meilleures entrées cinématographiques de la semaine dans *Variety*, tous ces thèmes si chers à Friedman possédaient en eux le frisson de la victoire, les affres de la défaite. L'Amérique ondulait au rythme des arias new-canaanéennes de l'économie. Des airs interprétés par un économiste juif et singés par des wasps, ces Blancs protestants qui auraient certainement refusé d'aller jouer au golf avec lui.

Hood parvint à concevoir une dernière pensée cohérente : ils étaient tous éparpillés comme des graines qui se seraient envolées du poing primal de l'Europe deux siècles plus tôt. Hood fit le tour de la salle, seul, et aucune compagnie — ni celle d'Elena, ni celle de Janey Williams, pas plus que celle de George Clair ou de Dave Gorman (à présent lui-même vautré sur le canapé) — n'aurait pu le délivrer de cet isolement. Il était aussi seul qu'Elena, aussi seul qu'un trappeur aux premières lueurs du jour dans l'immensité blanche du nouveau continent.

Janey était partie, de toute façon. Elle avait disparu. De même que George Clair. Il ne reconnaissait plus personne. Dehors, à la lueur blafarde des réverbères, la neige s'accumulait.

La télévision était, pour Wendy Hood, synonyme de temps structuré. Un havre de sécurité. Elle appuyait sur les touches au petit bonheur la chance, laissant le hasard choisir le programme pour elle. Les après-midi où elle esquivait les activités parascolaires — le hockey, le catéchisme ou le club photo —, le matin quand ses parents n'étaient pas encore levés ou qu'ils étaient partis tôt pour la messe, le soir lorsque, de nouveau, il n'y avait personne à la maison.

Elle la regardait généralement seule, étant donné que Paul n'était plus là pour lui tenir compagnie pendant les films d'horreur. Ce vendredi soir, elle était donc seule dans la bibliothèque pleine de courants d'air surplombant la Silvermine. Malgré le feu dans la cheminée et la couverture dans laquelle elle était enroulée, elle était frigorifiée. Dehors, la neige tombait dru. Le vent mugissait autour de la maison; on aurait dit les effets sonores d'un film à petit budget. A la télé, la chaîne WPIX présentait régulièrement l'émission du lendemain sur le Suaire de Turin. A travers ces annonces, Wendy s'était familiarisée avec ce tissu, avec les faibles traces de la présence dont il était imprégné, et, au cœur de cette soirée, l'effrayante tempête qui sévissait à l'extérieur ressemblait à une vengeance de l'Ancien Testament.

Elle avait séché le catéchisme. Le service unitarien. Sa mère avait renoncé à sa confession d'origine pour se tourner vers l'unitarisme, sa dernière lubie, bien qu'elle s'efforçât toujours de guider Wendy vers le culte épiscopalien. Tous les voisins y allaient. Wendy détestait avoir à se lever de bonne heure le dimanche, détestait les vêtements amidonnés et inconfortables, détestait le silence troublant de la prière. Selon elle, la religion des Amérindiens était de loin la plus fiable, avec leur peyotl et leurs chamans. Quand sa mère prenait son visage fripé pour lui faire la morale, Wendy n'aspirait qu'à une chose : ne jamais lui ressembler. En rien. Pour tout dire, c'était pratiquement une ambition de tous les instants. Les vraies conversations de sa mère ne s'appuyaient que sur des jugements à l'emporte-pièce. Parfois, Wendy avait l'impression qu'elle était soudainement frappée de mutisme, ou tombée dans le coma. A d'autres moments, la force de la tristesse d'Elena Hood, au cœur d'une ville avec une forêt, des ruisseaux, des commerçants qui connaissaient votre nom, une ville où les policiers vous conseillaient de vous habiller chaudement, où les fils des notables étaient les vedettes de l'équipe de foot, la force de cette tristesse retombait sur la maison et rassemblait tous les Hood autour d'elle.

Pour éviter ce problème, Wendy allait chercher des ennuis ailleurs. A une boum donnée pour son anniversaire, au début du mois, elle avait léché la chatte de Debby Armitage. C'était arrivé sans prévenir, un peu comme si elle n'avait pas contrôlé son geste. Elle se rappelait le moment où elle avait baissé son pyjama et relevé la chemise de nuit de

Debby — les filles étaient restées dormir ensemble. Dans le coin de la chambre, Sally Miller les observait avec une expression mi-excitée, mi-horrifiée. Debby était debout sur le lit, nue jusqu'à la taille à part ses chaussettes. Wendy lui écarta doucement les jambes et, dans une attitude quasi religieuse, tendit le cou pour aller glisser le bout de sa langue dans le nid de ses poils tout doux, tout blonds, tout neufs. D'une main elle caressait la rondeur parfaite, divine, du cul de sa copine.

Ça n'avait aucun goût. Aucune trace de la riche saveur marine dont parlaient les revues pornos qu'elle avait trouvées dans la planque de Paul. Debby Armitage était aussi propre que ses vêtements du dimanche. Pas d'excitation, non plus. Toutes deux, cependant, poursuivirent l'expérience. Sally Miller les observait toujours tandis qu'elles se mettaient en place pour échanger un peu de plaisir — elles avaient trouvé la position naturellement, comme un enfant découvre que les pièces rondes entrent dans les trous ronds. Sally regardait, effrayée, mais dans un état d'excitation croissant, bien que Debby et Wendy fussent à des années-lumière d'avoir un orgasme. Elles n'éprouvaient en fait guère plus d'émotion que si elles avaient été en train de ratisser les feuilles mortes dans le jardin.

Sally s'empressa d'aller divulguer l'épisode au lycée. En raison de son rôle de simple spectatrice, rien ne l'en empêchait. Elle put même donner son opinion et formuler des critiques. Elle put aussi rester très évasive quant à ses propres sensations. Wendy n'aurait jamais imaginé, même pendant ses rêveries en cours d'algèbre, qu'elle serait un jour un oiseau-mouche se désaltérant entre les cuisses de Debby Armitage; même si elle aspirait à se rapprocher des gens de la ville. D'un autre côté, il y avait quelque chose de maladif dans la façon dont elle s'empêtrait dans des situations impossibles, comme si elle cherchait toutes les occasions pour se couvrir de honte.

Cette stratégie se révéla très efficace ! Sally se fit fort de raconter son aventure. Sa transgression, son initiative, sa perversion. Sa réputation de garce vicieuse se propagea rapidement dans les couloirs du lycée et dans la rue. Elle percevait à vingt mètres les médisances et les moqueries des autres lycéennes. Depuis, Sally Miller se claquemurait dans la bibliothèque de l'école ; elle avait même renoncé à ses activités sportives du soir pour l'éviter. En revanche, Debby Armitage était devenue l'amie à la vie à la mort de Wendy, qui ne l'appréciait en définitive que très modérément. Debby était une geignarde.

Elle changea de nouveau de chaîne, coupa la présentation du Suaire de Turin pour regarder un film. C'était l'histoire d'une femme que des sales types avaient enterrée vivante dans un cercueil, mais un cercueil tout de même bien ventilé et éclairé, équipé en plus d'un petit tuyau par lequel elle pouvait aspirer de l'eau et des aliments.

Au beau milieu du drame, le frère de Wendy appela.

— La météo est mauvaise, dit-il. Neige et verglas partout sur les routes.

Wendy n'avait rien entendu de tel. Mais il est vrai que la neige tombait déjà bien serrée.

— Qu'est-ce que t'en penses ? Tu crois que je devrais rentrer maintenant, ou est-ce que j'attends le dernier train... ? Celui de 23 h 10, si je me souviens bien.

Elle lui dit qu'*ils* étaient sortis et que, à en juger

par la façon dont leur père avait débuté la soirée, il y avait peu de chances pour qu'ils attendent son retour. Ils iraient sûrement s'écraser dans leur lit illico presto. Autrement dit, pas de voiture pour aller le chercher à la gare. Il pourrait toujours prendre un taxi et rentrer quand il voudrait.

Il lui demanda ce qu'elle faisait, alors elle lui décrivit en détail l'intérieur du cercueil de la femme enterrée vivante, et parla de ses cris étranglés, désespérés. Elle reproduisit même un de ces hurlements pathétiques.

— Mais tu sais, je l'ai déjà vue dans une autre série, je sais plus laquelle, où elle jouait une mère très sympa. Alors elle est pas franchement effrayante, tu vois...

— Tu veux me faire croire que tu restes à la maison un vendredi soir alors qu'y a même pas cours demain ?

— J'ai des projets, dit-elle.

Sans transition, Paul l'appela *baby doll* et raccrocha. Un peu comme son père, qui, incapable de dire au revoir, coupait toujours précipitamment la communication.

Wendy aurait eu envie de dire à Paul qu'il lui manquait, qu'elle avait vécu ces longues et douloureuses périodes scolaires en se nourrissant des histoires de la belle vie qu'il menait loin de la maison. Elle lui avait écrit une lettre, une fois, une lettre qui expliquait ses sentiments, mais elle n'était pas certaine qu'il l'ait reçue. D'après elle, il avait vraiment une chance incroyable. Paul était intelligent, mais mal dans sa peau. Il n'avait jamais été question qu'elle aille elle aussi en internat. Wendy était une beauté, une petite fée, une nymphe, une sorcière, mais elle ne serait jamais ingénieur des Ponts et Chaussées. Paul avait été envoyé là-bas à une époque où Valley Road était différente. La vie de famille était différente, la communication existait entre les générations, on échangeait des sentiments, des cadeaux, des idées et des histoires. En tout cas c'est ce qu'elle pensait, quelquefois. En réalité, il était évident qu'un tel âge d'or n'avait jamais existé ailleurs que dans sa tête.

Profitant d'une interminable page de pub, elle s'enroula dans la couverture et se dirigea vers les recoins sombres et glacés de la maison, à la recherche d'un pull qu'elle avait laissé par terre, quelque part. Elle embrassa du regard les poutres apparentes, le parquet inégal et les poignées en fer forgé. La maison était aussi froide qu'une tombe. Le fantôme de Mark Staples, pasteur épiscopalien et ancien propriétaire du 129 Valley Road, l'épiait dans l'ombre. Elle imaginait ses tennis qui dépassaient de sous le grand drap blanc, ses ailes dans le dos. Il ressemblait tellement à un Hood — empêtré dans son indécision, lugubre et rabâcheur — qu'il constituait un revenant idéal pour eux, l'ancêtre parfait. Elle avait la chair de poule tout de même. Tant pis pour le pull. Elle s'en passerait.

La décision d'aller chez les Williams lui vint à l'esprit peu après. Elle s'attarda cependant pour regarder d'abord une main, puis un bras de la femme sortir du cercueil. Une équipe de policiers et d'infirmiers fonçait vers l'endroit où elle était enterrée. Apparemment, quelqu'un les avait mis au courant. Entre-temps, la femme avait, on ne sait trop comment, réussi à s'évader de sa prison. Ses mains, comme indépendantes du reste de son corps, la tirèrent jusqu'à l'air libre.

Wendy avait mis son poncho et son fuseau de ski avant que le générique ait fini de défiler. Elle avait besoin de changement. Son imagination tournoyait dans la maison comme un esprit frappeur. Elle avait envie de jambon fumé sur du pain blanc. Elle avait envie d'une mère qui lui dise que la soupe fait grandir et qui lui rappelle de bien mâcher chaque bouchée avant d'avaler. Elle avait envie de manger biologique et de suivre un régime. Elle avait envie de redevenir enfant et d'être un petit garçon.

La tempête faisait rage. Le rugissement méthodique du vent nivelait tous les bruits de cette nuit inhabituelle. L'environnement tout entier était réduit à ce seul bruit. Tandis qu'elle remontait la route, Wendy avait la sensation d'être seule, d'être la dernière fille sur terre, et que Dieu les avait choisies, elle et la ville de New Canaan, afin qu'elles survivent au cataclysme qui anéantissait l'humanité. Les arbres étaient pliés par le vent, alourdis par la neige qui tombait en flocons drus, durs comme de la glace. Wendy s'enfonçait jusqu'aux mollets dans la couche cristallisée qui recouvrait Valley Road et détrempait ses chaussettes.

Dans les rues, les équipes de secours continuaient leur travail de sablage. Leurs lumières éclairaient le quartier d'une lueur lugubre, comme après un bombardement. Elle marcha dans les traces étroites des camions sans rencontrer aucun autre promeneur. En haut de la colline, elle emprunta le chemin qu'elle avait déjà pris deux fois dans la journée. Passa devant Silver Meadow.

Arrivée chez les Williams, elle appela Mike. Elle l'appela de toutes ses forces. Comme s'il était vital qu'on lui réponde. Elle supplia, elle menaça. Pas un bruit. Mais la porte était ouverte et le vestibule allumé. Elle entra et se promena dans toutes les pièces, avec la curiosité des gosses de son âge. Elle chercha Mike dans la salle à manger, dans le salon, dans le patio — Mme Williams n'avait rentré qu'une partie de ses plantes pour l'hiver, comme si elle avait été interrompue. Elle le chercha dans la cuisine, et au passage piqua une barre chocolatée à la noix de coco qui traînait sur le comptoir. Elle fit un tour au sous-sol, le chercha en vain dans le labyrinthe des caisses de Bazooka. Repenser à la scène de l'après-midi lui donna un vague sentiment de culpabilité.

Elle monta ensuite l'escalier.

Une alarme nasillarde se déclencha quand elle tourna la poignée de la chambre de Mike, dérangeant le silence. Le plafonnier du palier était allumé, mais la maison était déserte. Wendy essaya de nouveau la porte ; l'alarme se remit à grésiller. Finalement, elle l'ouvrit un grand coup. Mike était dans son lit, couché sur le côté, accroché à son oreiller. Sans hésiter, elle referma la porte et, aussitôt, vola comme une sorcière à travers la pièce, auréolée de sa crinière blonde, et fondit sur la silhouette endormie... pour découvrir en fin de compte que ce n'était pas Mike, mais un pyjama bourré de vieux T-shirts et de linge sale. Quel fumiste ! Il avait osé faire ce coup vieux comme le monde. Un mannequin...

La maison lui appartenait. Elle porta un T-shirt sale à son nez et inspira profondément. Elle fouilla, ayant appris grâce à Paul où un garçon de cet âge cachait ce genre d'articles, et découvrit très vite la collection de revues pornos de Mike — dans le placard. Elle trouva même un porte-jarretelles, encore poisseux et humide d'une matière compromettante. Cette découverte la choqua tout d'abord, et elle jeta vivement le sous-vêtement gluant par terre. Mais elle fut aussitôt saisie d'un sentiment de pitié. Mike ne devait pas être fier de lui. Or la culpabilité, elle connaissait, elle pouvait compatir. Elle devinait mieux que quiconque la honte et l'anxiété qui avaient poussé Mike à se cacher. Sans hésiter, elle décida de prendre le porte-jarretelles et le glissa sous sa chemise, le coinçant sous la ceinture de son fuseau.

Après, elle alla jeter un coup d'œil sur le waterbed. Mike le lui avait montré, un jour. Ils étaient restés sur le seuil de la chambre comme s'il s'agissait d'une visite guidée de la maison de Franklin Roosevelt. Mike était aussitôt allé agiter le lit pour provoquer des remous. Elle se rappelait qu'il faisait beau, c'était la fin de l'été; elle l'avait suivi pour enfoncer sa main dans le vinyle bleu. Ils étaient ensuite ressortis à toute vitesse pour le regarder, depuis la porte, clapoter et onduler.

Mike avait peur de la chambre de ses parents. Comme elle. Imaginer son père endormi, vulnérable, en position fœtale, peut-être, la dégoûtait. Elle préférait penser qu'il veillait tard pour lire un article ou un livre. Cependant, le fait que ses parents ne faisaient plus l'amour la réconfortait, en quelque sorte. Ils ne semblaient plus du tout attirés physiquement l'un par l'autre.

Mais ici, chez les Williams, Wendy n'avait pas peur. Et comme la porte de la chambre était ouverte, elle put voir que le waterbed était inoccupé. Elle alla tout simplement s'y installer, et fut immédiatement engloutie. L'eau s'écarta sur les côtés avant de refluer vers le centre. Wendy remonta la couverture sur elle et, pour le plaisir, provoqua de nouveaux remous. La barre à la noix de coco était un peu écrasée, mais elle la dépiauta tout de même. Ce n'était pas ça qui en changerait le goût.

C'est alors qu'elle fut interrompue.

— Qu'est-ce que tu fais ?

Sandy Williams. Il l'avait observée. Espionner était sa passion, aussi ne fut-elle pas étonnée de le voir là. Il n'était ni furieux ni même particulièrement intéressé. Il posait juste la question. Comme ça.

Wendy, surprise, rappliqua au bord du lit et lissa son poncho. Un moment, elle ne sut trop quoi répondre.

— C'est quoi, l'équipe, sur ton pyjama, petit Sandy ? demanda-t-elle enfin, la bouche pleine de noix de coco.

Elle se remit debout sur le sol bien solide, l'eau s'agitant encore mollement derrière elle.

— Les Oakland Raiders. Mais je regarde jamais le foot.

— Tu l'as eu d'occase, ton pyjama ?

Sandy ne répondit pas. Il restait là, sur le seuil. Il était vraiment petit pour son âge. Avec son pyjama et ses lunettes, sa mèche et son air naïf, il était un étrange hybride, à mi-chemin entre l'enfant et le cadre moyen d'âge indéterminé. Il ignorait où était Mike. Ses parents étaient sortis chez des voisins. L'échange questions-réponses demeurait concis et inamical.

— Alors, qu'est-ce que tu fais ici ?

— Je jetais un œil, dit Wendy. Et toi ? Je croyais que tu passais la nuit chez un copain ?

Se détournant, il remonta le couloir. Elle aurait dû se douter qu'il était là. Ou au moins voir la lumière sous sa porte. Encore que... si ça se trouve, il n'avait pas allumé. Peut-être échafaudait-il ses plans infâmes dans l'obscurité. Wendy lui emboîta le pas, la démarche traînante, démoralisée, et certaine que ses frasques parviendraient aux oreilles des Williams. Soudain elle eut peur que son père ne leur parle de ce qui s'était passé dans l'après-midi avec Mike.

— Sandy, dit-elle, tu veux pas me montrer tes maquettes ? Allez, attends-moi...

Il la regarda, les yeux plissés, depuis le bout du couloir. Ses lunettes n'étaient pas assez fortes. Depuis quelque temps, il fixait des verres teintés sur ses verres ordinaires, comme un coach de base-ball. Toujours sans répondre, il entra dans sa chambre. Mais en laissant la porte ouverte.

Dans la chambre d'amis, en passant, elle aperçut le lit défait.

Sur son oreiller, à côté de lui, Sandy avait un G.I. Joe, la version masculine de la poupée Barbie, le dernier modèle en date, avec barbe et cheveux, mais aussi une cicatrice sur la joue, une balafre rouge vif, boursouflure de plastique. Et en plus il parlait quand on tirait sur sa plaque d'identification. Sandy fut prompt à lui faire remarquer que ce G.I. Joe était détraqué. On pouvait s'escrimer des heures à tirer sur la plaque, Joe répétait toujours la même chose : *Mayday ! Mayday ! Transmettez ce message à la base !*

Dans sa combinaison de saut orange, Joe avait l'air très à l'aise. Il n'avait rien du prisonnier de guerre ou du déserteur en cavale. Mais Sandy nourrissait quelque projet sinistre pour lui. Sous les yeux de Wendy, il préparait tranquillement un nœud coulant pour sa poupée. Sans lever les yeux de sa cordelette, il tira de nouveau sur la plaque : ... à la *base !*

— Quelquefois, dit Sandy, il ne dit même pas la phrase complète.

Mayday ! Mayday ! Transmettez ce message à la base ! A la base ! A la base !

Wendy prit le pauvre G.I. sur ses genoux et joua

avec ses membres articulés. Sandy nouait toujours sa cordelette, relevant de temps à autre la tête pour la questionner sur le temps.

— C'est glacé partout, répondit Wendy.

— Tu as mis de la boue sur le waterbed.

Il avait sans doute raison. De la boue, du sable et du sel.

— Un petit peu seulement.

— Il va faire encore plus froid cette nuit, tu vas voir. On risque d'avoir une panne d'électricité. T'as des bougies, chez toi ? Je sais où elles sont, ici, et j'ai ma lampe de poche, de toute façon. Là... En plus, je sais où sont toutes les sorties de secours, à cet étage.

— Au fait, il est où, Mikey ?

— Je t'ai dit, j'en sais rien.

Il arrêta de tripoter sa cordelette pour la regarder avec insistance.

— Mais il est sûrement à l'hôpital.

Ce ne serait pas une mauvaise idée. Les pelouses, autour de Silver Meadow, descendaient en pente raide. Un temps idéal pour les dévaler sur les plateaux du réfectoire. Le seul truc, c'était de sauter avant de faire un plongeon dans le ruisseau où les plateaux finissaient avant d'être emportés par le courant.

— Qu'est-ce qu'il ferait là-bas ?

— Il te cherche peut-être, dit-il en se levant.

Il grimpa sur une chaise de facture moderne et peu solide pour accrocher sa cordelette à un clou en haut de l'armoire.

— Ça s'appelle un nœud de chaise, ce que je viens de faire, dit-il.

La cordelette se balançait. A la lueur de la lampe, son ombre, son double menaçant, se balançait avec elle.

— Tu ne vas pas lui donner une dernière chance, non ? dit Wendy en tirant une fois de plus sur la plaque : *Transmettez ce message à la base ! A la base ! A la base !...*

— Ça sert à rien, soupira Sandy. J'ai tout essayé.

Elle lui faisait confiance.

Sandy arrêta le mouvement de pendule de la cordelette.

— O.K. Amène le prisonnier, dit-il.

— Encore une fois, insista-t-elle. Rien qu'une.

Elle n'arrivait pas à se résigner. Descendant du lit, elle apporta G.I. Joe à son bourreau.

— Les filles prennent toujours parti pour les criminels, dit Sandy. Mais cette fois, je crois que ça servira à rien.

Wendy tira sur la plaque une dernière fois.

— *Major ! Hélicoptère en vue !* annonça Joe.

— Super !

— C'est le hasard, dit Sandy. Une fois sur cinquante, il sort autre chose. D'habitude, c'est à propos d'un toubib...

Il croisa les bras.

Tous deux regardaient le mannequin. Wendy ne voyait même plus l'intérêt d'essayer encore. Elle avait la sensation de toucher du doigt les roueries du hasard, et n'avait pas envie de gâcher cet instant.

Sandy était adorable, dans cette lumière. Il trépignait d'impatience. Il voulait en finir avec Joe. Quand il saisit sa poupée, il tira sur l'élastique qui reliait la plaque au mécanisme intérieur : *Nous attaquerons le col par le nord !*

A la faveur d'une brève accalmie de la tempête, Wendy remarqua de nouveau le silence qui régnait, le silence de la maison. Sandy était estomaqué par la loquacité de Joe. Distraitement, il se gratta l'entrejambe. Puis il secoua Joe, le plaqua contre son oreille.

— On va le pendre quand même.

— D'accord.

Il glissa le cou de Joe dans le nœud et serra. Tous deux se retrouvèrent seuls dans la pièce, devant Joe qui se balançait au bout de sa corde. Elle voulut le retourner pour ne plus voir son visage, mais la corde tournait sur elle-même, obstinément, et le replaçait face à eux.

Quelque chose d'étrange se passa alors. Wendy remarqua que Sandy était assis sur le lit, son oreiller sur ses genoux. L'émotion les gagnait. Et elle savait ce que ça signifiait. Elle savait que Sandy émergeait du roc sous lequel il vivait. Sandy avait Wendy pour lui tout seul dans sa chambre, sa chambre bien chaude au cœur d'une tempête glaciale, alors que son frère la cherchait peut-être Dieu sait où. Le retournement de situation était considérable. Wendy aurait aimé le chatouiller avec une plume de paon, le voir debout sur son lit, totalement nu à l'exception de ses patins de hockey.

— Pourquoi est-ce que tu m'as évitée, dernièrement ? demanda-t-elle.

Il sourit.

— Je ne t'ai pas évitée.

Son expression redevint soucieuse.

Elle s'allongea sur le lit et, avec une lenteur exagérée, retira ses bottes, comme s'il s'agissait de talons aiguilles. Elle savait ce qu'il cachait sous son oreiller, pas plus gros que le moignon d'un doigt amputé — son pénis miniature. Elle remonta juste à côté de lui. Lui dit qu'elle avait envie de se coucher dans son lit, sous ses draps.

Sandy commença à trembler.

— Il faut qu'on aille dans la chambre d'amis,

dit-il. On peut pas rester ici. Si Mike... Il faut qu'on y aille et qu'on ferme la porte. Mes parents...

— T'inquiète pas pour eux. Ils sont en train de se soûler dans une réception. Et de raconter des conneries sur McGovern ou les autres...

Il semblait au bord des larmes. Puis il pleura pour de bon. Wendy n'en fut pas agacée. Tout au plus embarrassée. Sandy n'était pas particulièrement fier non plus. Il s'efforça d'essuyer les traces humide que ses larmes laissaient sur ses joues. Bientôt, il prétexterait la fatigue, ou une poussière dans l'œil, ou que ses lunettes étaient trop fortes. En fait, il ne connaissait même pas l'origine de son problème. Elle le lui demanda, mais il ne savait pas.

— C'est seulement que... que...

Alors elle le prit par la main — ils tremblaient tous les deux — et le conduisit dans la chambre d'amis. Elle laissa la porte entrouverte, ni trop ni pas assez, de sorte qu'elle n'attire pas l'attention, et, ensemble, ils s'assirent sur le lit, comme s'ils s'apprêtaient à poser pour le photographe.

— Un verre ? proposa Wendy.

La vodka était toujours là. Sur la table. La suggestion choqua Sandy.

— Tu n'as jamais goûté ? s'étonna-t-elle. C'est moins bien que de fumer de l'herbe, c'est sûr. Mais ça fera l'affaire, Charles.

Un verre traînait là. En le remplissant, Wendy ressentit une sorte de fierté. Elle se rappelait son excitation lors de sa propre initiation, où son frère avait joué un rôle important. Une initiation équivalait à une sorte de dépouillement volontaire. Sandy paraissait fragile et fort, déterminé et vulnérable. Et vieux, aussi. Tout ça en même temps. Ses lunettes glissèrent sur son nez. La vodka se déversa dans le fond du verre.

Sandy leva la bouteille et Wendy le verre. Ils trinquèrent, comme ils avaient vu les adultes le faire.

Elle avala le tout cul sec. Sandy aspira juste une petite rasade. Dès que l'alcool toucha son palais, il se mit à suffoquer. Il toussa et avala le reste de la gorgée. Wendy l'encouragea à recommencer. Il voulait faire aussi bien que Mikey. De toute façon, il n'avait pas le choix ; il fallait qu'il grandisse. Alors il remplit le verre et l'avala d'un trait. Il avait réussi. La première fois n'était jamais facile. Après ça irait mieux. Wendy, elle, s'était entraînée. Les jours de fête, quand ses parents l'avaient autorisée à boire, un petit peu, et les jours de classe, derrière le lycée, avec de jeunes délinquants, ceux du lycée ou d'autres, des gosses adoptés et quelques Blacks. Et puis il y avait aussi les après-midi où elle piquait simplement l'alcool dans le bar de ses parents. Bien sûr, elle craignait toujours qu'ils n'aient fait une marque sur les bouteilles pour savoir si le niveau baissait en leur absence, mais tant pis. Elle buvait quand elle en avait envie.

Sandy posa sa main sur son torse.

— Ça fait tout chaud.

— Tes vieux ne t'en ont jamais donné ?

— Si. Une ou deux fois.

Elle savait qu'ils laissaient Mikey en prendre de temps à autre.

— Encore un peu ?

Elle ressentait l'effet de la vodka. Un certain apaisement. La tempête n'était plus une menace.

— O.K., dit-il.

Ils burent de nouveau.

Dehors, la tourmente mugissait de plus belle.

Elle le prit dans ses bras, consciente de pouvoir

le briser en deux. Quand elle l'embrassa, il se laissa faire. Sandy était insipide. Aussi dépourvu de goût que l'eau du robinet. Devinant la confusion de ses pensées, son incertitude, elle ouvrit la veste de son pyjama. C'était comme ça qu'on les portait, maintenant, dans les pubs et les films : deux boutons ouverts au col, une petite touffe de poils émergeant du décolleté. Sauf que Sandy était aussi duveteux qu'un bébé. Pas un seul poil. Il se pencha en arrière pour qu'elle puisse déboutonner sa veste. Après, elle ôta ses propres vêtements, un à un. Pas facile de faire vite en hiver — le pull, le col roulé, le T-shirt... Ils se frottèrent l'un contre l'autre. Sa poitrine, pas tout à fait des seins, encore, et son torse. Puis ils retirèrent le reste de leurs habits, Wendy ôta son fuseau et son collant en même temps pour ne pas avoir à exhiber le porte-jarretelles souillé, celui qu'elle avait pris dans le placard de Mike. Mais Sandy était trop préoccupé par sa nudité pour le remarquer.

— Allez, retire tout, lui dit-elle, riant de sa propre hâte.

Bientôt, ils furent nus. Son petit soldat était aux ordres, comme G.I. Joe quand il comptait encore parmi les vivants.

— Sous les couvertures ! dit Wendy.

Sandy rejeta l'édredon et ils se glissèrent dessous. Il rit, et Wendy aussi, et ce rire leur fit du bien. Elle prit son pénis dans ses mains, et ses testicules. Elle embrassa ses mamelons et ils roulèrent sur le lit comme ça quelques instants.

— Tu as déjà eu une éjaculation nocturne ?

— Hein ?

— C'est quand tu te réveilles et que tu découvres une petite flaque de truc gluant. En principe, ça vient après un rêve sexy.

Il secoua la tête.

— Ils t'ont pas encore parlé de ça ? dit-elle. Mais sur quelle planète tu vis ?

Sandy n'avait pas envie de subir d'interrogatoire. Il préférait continuer. Quand son genou s'insinua entre les cuisses de Wendy, quand ses hanches se plaquèrent contre les siennes, elle frissonna, mais a priori ça ne mènerait nulle part. Il ne savait pas ce qu'il faisait. Elle aurait pu embrasser son zizi riquiqui, mais elle se rendit vite compte de l'inutilité de la chose. Ils n'auraient jamais d'orgasme, simultané ou autre.

Mais ce n'était peut-être pas grave. Après tout, elle ne s'y connaissait pas trop en orgasmes. Elle avait regardé la définition au moins une bonne dizaine de fois, et elle n'était toujours pas plus avancée. Masturbation : excitation manuelle des parties génitales, généralement dans le but d'obtenir un orgasme, du latin *manus*, main, et *stupratio*, action de souiller. Combien de fois s'y était-elle exercée, avant ses premières règles, sans obtenir davantage qu'un chatouillis insignifiant. Sodomie : pratique du coït anal. Bestialité : perversion sexuelle, relation avec les bêtes. Ces choses-là étaient impossibles à imaginer.

Orgasme était encore plus dur à comprendre. C'était un peu comme la grâce. On pouvait vous l'expliquer cent fois, tant que vous ne l'aviez pas expérimenté vous-même, ça ne servait à rien.

— Je t'aime, Wendy, dit Sandy.

— C'est gentil, Sandy. Moi j'aime *Sesame Street* et *Les Rues de San Francisco*.

Ils restèrent allongés dans la pénombre. La seule lumière provenait du couloir. Cette immobilité ressemblait au bonheur. Wendy savait qu'elle avait fait un super-boulot d'initiation.

— Tu veux un autre verre ? suggéra-t-elle.
— D'accord.

Elle s'assit et regarda le capharnaüm. Les couvertures en fouillis, les vêtements éparpillés par terre. Wendy aimait bien le désordre. Elle servit la vodka, et en renversa un peu à côté, sur elle, sur les draps et le long du verre qu'elle remplit à ras bord.

— Tu es soûl ?
— Je sais pas, dit-il. A quoi ça se reconnaît ?
— Je sais pas non plus. T'as la tête qui tourne, je crois. C'est à ça que tu t'en aperçois. Ça tourne quand tu veux te coucher.

Ils étaient bien, l'un contre l'autre. Ils échangeaient leur chaleur. Leur présence. Et parce qu'ils ne pensaient pas vraiment à la nuit, pas plus qu'à leurs parents, pas plus qu'à leurs frères, ils sombrèrent paisiblement dans le sommeil.

Vers 22 h 30, la soirée atteignit son point culminant. Après avoir traversé des phases de transition, que le plus assidu lecteur de *Psychology Today* aurait eu bien du mal à identifier, Thomas Harris, auteur de *I'm Okay — You're Okay*, dit la chose suivante : « Eric Berne s'est très vite aperçu, au cours de ses travaux en analyse transactionnelle, qu'il est possible de voir la personne qui nous parle changer sous nos yeux. Il s'agit d'un changement total. On observe des modifications simultanées dans l'expression du visage, le vocabulaire, l'attitude corporelle, qui peuvent provoquer des rougeurs faciales et une accélération cardiaque ou respiratoire. Ces changements sont observables chez tout le monde. »

Elena ne voyait pas comment ce modèle transactionnel pourrait marcher pour elle. Pourtant, ce n'était pas faute de lire des ouvrages sur la croissance personnelle. Elle avait lu *Jonathan Livingston le goéland, Les Enseignements d'un sorcier yaqui, Le Cri primal* d'Arthur Janov, *I'm Okay — You're Okay, Des jeux et des hommes* d'Eric Berne, *Je ne t'ai jamais promis un jardin de roses, Ile* d'Aldous Huxley, *Le Livre des morts tibétain*, et *Le Seigneur des anneaux*. Elle avait lu tout ça, mais elle ne se sentait pas plus à l'aise pour autant en société.

On décelait plusieurs tendances, dans cette réception : ceux pour qui la sélection des clés constituait un divertissement moderne et audacieux, et les autres, pour qui ce jeu n'était que prétexte à une honteuse débauche. D'autres encore hésitaient entre ces deux systèmes de croyance.

Mal à l'aise comme elle l'était, Elena ne pouvait expliquer le changement survenu en elle. A quoi devait-elle attribuer l'excitation qu'elle ressentait depuis son arrivée chez les Halford ? La société de New Canaan s'efforçait de prendre une décision concernant le jeu des clés et ses répercussions. Elena remarqua que les conversations devenaient évasives, que maris et épouses s'évitaient de plus en plus. Ils se faussaient compagnie, sournoisement, se mêlaient à d'autres discussions. Elle-même, d'ailleurs, évitait Benjamin. Cependant, elle avait été soudain saisie d'une véritable joie. Il n'y avait pas d'autre mot. Elle sentit le relâchement des contraintes qui l'avaient emprisonnée depuis qu'elle avait atteint sa majorité, et sut alors qu'elle jouerait. Elle choisirait une clé qu'elle garderait sur elle, accrochée autour de son cou, entre ses seins menus. Oui, elle participerait.

Une analyse de son état d'esprit devrait prendre en compte ce qui l'avait conduite à cet instant. Elle avait passé l'après-midi à penser à sa famille. Elle avait ensuite accusé son mari d'infidélité et accepté de l'accompagner à une réception où ils rencontreraient probablement sa maîtresse. Quelque part dans cette décision d'assister à cette soirée se cachait l'origine de sa sérénité actuelle. Elle avait reconnu, en son for intérieur, que l'infidélité de son mari était, en définitive, une affaire qui ne concernait que lui, quoiqu'elle en souffrît. Ou, ainsi qu'elle l'avait lu : « Vous êtes la propre cause de votre souffrance, quelle qu'elle soit. Il est temps désormais que vous en acceptiez la responsabilité. Cette volonté de devenir responsable est la clé de tout développement personnel. » Elena avait créé son univers.

Thomas Harris : « Trois choses incitent une personne à changer. Primo, la prise de conscience de sa souffrance. Secundo, l'installation d'une sorte de désespoir nommé ennui. Enfin, tertio, la découverte qu'elle porte en elle la possibilité de changer. » C'était cela, la véritable Aventure, avec un grand A. Savoir trouver en toutes circonstances une occasion d'évoluer.

Malgré cela, confrontée à la décision de participer ou non au jeu des clés, Elena s'était empêtrée dans l'irrésolution coupable de Benjamin. Elle avait du mal à s'ouvrir, à vivre ses propres désirs. Elle était obnubilée par l'idée que Benjamin parviendrait, par quelque tour de passe-passe, à glisser leur trousseau, avec son porte-clés en fer à cheval, dans la main de Janey Williams. Elle imaginait distinctement l'expression de leur fille quand Janey et Benjamin sortiraient en douce de la maison, samedi matin, pour aller prendre leur petit déjeuner à Darien ou à Norwalk, où personne ne les reconnaîtrait.

Morose, elle s'était faufilée dans la salle, avait évité Dot et Rob Halford, évité les Armitage, les Sawyer, les Steele, les Boyles, les Gorman, les Jacobsen, les Hamilton, les Gadd, les Earle, les Fuller, les Buckley, les Regan, les Boland, les Conrad, les Miller. Elle avait esquivé les vieilles familles de New Canaan, les Benedict, les Booton, les Carter, les Newport, les Eel, les Finch, les Hanfort, les Hoytt, les Keller, les Lockwell, les Prindel, les Seely, les Slauson, les Talmadge, les Tarkington, les Tuttle, les Well. Ainsi que la nouvelle élite des divorcés — Chuck Spofford, June Devereaux, Tommy Finletter, Nina Kellogg. Elle passa au large du canapé, où Janey Williams était assise, et se dirigea vers la cuisine et la bibliothèque. Là, elle participa de loin en loin aux conversations, ne restant jamais assez longtemps pour donner une opinion personnelle ou recevoir une confidence. Elle aida Dot, qui avait horreur d'engager du personnel, à garnir les plateaux de petits fours. Elle bavarda ensuite avec George Clair, un homme que son mari ne pouvait pas encadrer. Il avait pourtant l'air agréable. Après cela, elle prit la direction de la salle de bains, où elle s'attarda un temps sur la cuvette des toilettes pour pleurer.

A ce moment-là, rien ne semblait avoir changé. Et rien ne laissait présager qu'il pût se produire le moindre changement. Mais notre comportement est souvent fonction de nos différents moi : « Parfois, les raisons de notre mutation sont indéfinissables ou ne paraissent reliées à aucun signal particulier du présent. » Tandis qu'elle pleurait, Mark Boland entra dans la salle de bains sans frapper — il n'y avait pas de verrou — et la découvrit assise sur la cuvette, le pantalon et le collant baissés jusqu'aux genoux, en train de se mettre du rouge à lèvres.

Boland piqua un fard, balbutia une excuse et referma la porte. Ce fut pour elle le véritable départ de cette soirée.

Quand elle sortit, le jeu des clés était dans l'air, comme un parfum — invisible mais bien présent. Désormais, elle se laisserait guider par le hasard. De toute façon, elle ne pouvait guère descendre plus bas. Elle parlerait donc à tous ceux qui croiseraient son chemin ; elle s'ouvrirait aux confidences ; elle danserait sur les airs entraînants d'Antonio Carlos Jobim, le maître de la bossa-nova, sur *Switched-On Bach* de Walter Carlos, ou sur n'importe quelle chanson de Carole King. Elle accepterait les hors-d'œuvre qu'on lui proposerait, les boissons, les joints. Elle repartirait avec celui dont elle aurait choisi les clés dans le grand saladier.

Ainsi quitta-t-elle la salle de bains avec la sensation de liberté du papillon abandonnant sa chrysalide. Intriguée, elle chercha des yeux son séducteur. Se serait-il réfugié dans un coin, bourrelé de remords ? Ou bien aurait-il déjà oublié ce piteux incident ?

La nouvelle Elena O'Malley repéra enfin celui qui l'avait surprise dans son intimité. Mark discutait avec Maria Conrad et le fils de celle-ci, Neil. Boland et Maria semblaient s'habiller chez le même fripier. Leurs vêtements auraient aussi bien pu dater de l'après-guerre. Cravate de reps, jupe écossaise...

Boland, qui vivait depuis vingt ans sur Heather Drive, à la frontière entre New Canaan et Norwalk, était l'historien de la ville. A ce titre, il avait la réputation de semer l'ennui autour de lui. Elena, qui, au cours de ces réceptions, n'hésitait pas à rechercher la compagnie des raseurs pour construire avec eux une forteresse d'insignifiance sociale, avait elle aussi du mal à le supporter. Il palabrait généralement sur ces fabriques de chaussures qui avaient permis à l'économie de la région de prendre son essor, au XIXe siècle — d'ailleurs, depuis deux décennies, New Canaan tenait la deuxième place du marché de la chaussure dans le pays ! —, détaillait les implantations de ces usines (l'une d'elles se dressait à l'époque à l'endroit de l'actuelle caserne de pompiers), et dissertait sur les raisons du déclin de l'industrie après 1850. *Saviez-vous que des hommes d'affaires ont voulu faire construire un chemin de fer pour relancer le commerce, mais que personne n'a été intéressé ?*

A se demander pourquoi Boland était régulièrement inscrit sur les listes d'invités. Il suffisait en réalité de voir au-delà des apparences. Boland avait un cœur de tricheur, et il haïssait sa femme... Un jour qu'il perdait au backgammon, il lui avait jeté un verre à la figure ; il l'avait insultée en public, devant leurs amis. Pourtant ils étaient toujours mariés. Pourtant il continuait à proférer ses discours assommants. On le voyait parfois torturer la même victime quarante-cinq minutes d'affilée, ou plus. Son monologue soporifique sur les élections locales ou les réunions municipales était révélateur d'un vide, de l'amertume de sa vie ratée.

Au fil des années, Elena remarqua que sa femme devenait plus forte. Plus assurée. Elle sortait parfois sans lui, et semblait passer ses journées dans les galeries d'art du comté de Fairfield. Betty Boland paraissait avoir trouvé sa voie en dehors de son couple. Sans doute faisaient-ils chambre à part, maintenant.

Sans doute était-ce la raison pour laquelle Mark Boland participerait au jeu des clés. Et c'est pourquoi Elena se dirigea vers lui. Elle voulait savoir de quoi il retournait, exactement.

— Dieu du ciel, Elena, je suis désolé, dit-il.

— Ce n'est pas grave, Mark. Ce sont des choses qui arrivent. C'est tout l'intérêt des soirées chez les Halford. On ne sait jamais ce qui peut se passer.

Boland sourit. Un peu trop longtemps.

— Oui, en effet.

— Mark et moi étions en train de parler du temps, intervint Maria.

— Le temps, répéta Elena.

— Oui... Il paraît que la température va descendre au-dessous de zéro, cette nuit. Les routes seront sûrement dangereuses, au petit matin.

— On n'a pas vu de tempête aussi violente depuis des années, dit Boland. Vous vous êtes organisés avec Benjamin, je suppose ?

— Organisés ?

— Eh bien... oui. C'est plus prudent.

Quand ce sujet fut épuisé, Boland enfourcha son cheval de bataille. La commune de Canaan, expliqua-t-il, avait à une époque été séparée en deux parties : d'un côté Stamford, de l'autre Norwalk. Le mur qui faisait office de frontière avait été démoli de nombreuses fois en raison des tempêtes qui sévissaient déjà en ces temps reculés. Saviez-vous qu'il en reste encore un morceau derrière la nouvelle école ? Une petite boule de salive se forma à la commissure de ses lèvres alors qu'il continuait à monologuer sur les différences existant entre les colons de New Haven, qui avaient fondé Norwalk en 1651, et ceux du Connecticut, fondateurs de Stamford (ou Stanford, car c'était le nom d'origine) en 1650. En 1699, quelqu'un, pour la première fois, fit l'acquisition à titre privé d'un terrain sur la colline de la Silvermine.

— A l'époque, ça s'écrivait en deux mots. *Silver Mine* : la mine d'argent...

Profitant d'une brève pause dans cet interminable soliloque, Neil Conrad, le fils de Maria, se rapprocha d'Elena en se plaçant entre elle et Boland. En pleine adolescence bourgeonnante, Neil portait un col roulé, un jean rapiécé et des bottes crottées. Ses cheveux tombaient sur ses épaules. Elena se demanda s'il comptait participer au jeu, et sinon, pourquoi Maria, venue sans son mari, l'avait amené. Elle considéra l'espèce d'échalas planté devant elle. Quelle femme ayant quelque respect d'elle-même accepterait de faire l'amour avec cet adolescent ? Serait-elle prête, quant à elle, à passer la nuit avec Neil ? Un garçon couvert d'acné, avec des cheveux de fille, et qui n'avait guère qu'un an ou deux de plus que son propre fils ?

Certainement pas.

Le jeune Neil avoua en marmonnant qu'il s'ennuyait à mourir dans cette soirée et que le blabla de ce type commençait à lui hérisser le poil, puis il se mit à lui raconter l'expérience qu'il venait de vivre. Ce n'était pas la première fois qu'Elena découvrait l'attirance qu'elle suscitait chez les adolescents. Attirance qu'elle attribuait à son silence, qu'ils prenaient pour de l'attention. Avec elle, ils avaient la sensation d'être entendus. Neil venait donc de participer à un séminaire de Werner Erhard. Il avait passé plusieurs jours enfermé dans un auditorium dont il ne pouvait pas même sortir pour se rendre aux toilettes, mais à présent il avait compris. Il avait compris qu'il n'y avait rien à comprendre. Cette révélation avait changé sa vie. Et entre tous les convives réunis ici ce soir, il l'avait choisie, elle, pour entendre son message.

Neil — bon sang, qu'il avait donc mauvaise haleine ! — marmotta qu'il s'intéressait à présent à la spiritualité, celle que l'on trouvait dans le disque *Dark Side of the Moon* ou les romans de Vonnegut. Ou encore dans *Jonathan Livingston le goéland*.

— Chacun d'entre nous porte le Grand Goéland en lui-même, dit-il, presque sentencieux. Dommage que le film ne soit pas à la hauteur. Neil Diamond, c'est vraiment de la guimauve.

— Je ne sais pas, je...

— Si vous êtes dans le coup pour ce genre de trucs, la religion et tout, quoi... Enfin bref, y a un type que vous devriez voir.

Et Neil de l'entraîner dans la pièce voisine, la bibliothèque, où un disque d'Antonio Carlos Jobim, qui tournait curieusement en 45 tours, se mélangeait avec la bande sonore d'un film à la télé, *Miracle dans la 34ᵉ Rue*. Elena se laissa docilement conduire car elle savait que, quelque part, se trouvait l'individu qui transformerait cette soirée. Et elle s'attendait à le rencontrer par hasard. Un groupe de personnes ondulait au rythme de la bossa-nova autour de la table basse hexagonale, aussi Elena ne le vit-elle pas tout de suite. Dehors, à la lueur de la lampe du patio, la neige semblait tomber plus dru. Il n'était pas loin de 23 heures.

Neil la présenta alors à l'homme, qu'elle avait déjà rencontré plusieurs fois. Wesley. Wesley Myers. Elle eut un mouvement de recul instinctif. La présence de Wesley était sans doute due à son célibat, mais aussi au fait que ce genre de soirée, donnée sous le signe de la violation des Dix Commandements, attirait les éléments indésirables de New Canaan, de la même manière qu'un cadavre attire les charognards. Or, Myers était sans conteste un indésirable. Elle avait eu l'occasion de s'en rendre compte lors de leurs précédentes rencontres. Il appartenait à cette espèce d'hommes irascibles, querelleurs, et dont les rouages du cerveau ne connaissent jamais de répit. D'un autre côté, il n'était peut-être même pas au courant du jeu des clés. Peut-être avait-il fait une simple apparition, attiré par les phéromones ambiantes.

Myers évoquait un de ces truands de série B — court, trapu, dépravé. Une version sadienne du père Noël. Il donnait l'impression de s'être masturbé trop souvent et trop longtemps.

Il lui adressa un sourire chaleureux.

— Quel plaisir de vous voir. Sincèrement...

De toute évidence en pleine discussion, il reprit là où il s'était interrompu. Neil buvait ses paroles. Myers semblait suivre de nombreuses voies, cheminant de préférence hors des sentiers battus. L'Église de Scientologie, Parhamansa Yogananda, la gestalt-thérapie et la méditation transcendantale.

— Avoir une raison pour agir, disait-il, et ici je paraphrase Werner, *avoir une raison* est différent de : *avoir raison*. La raison et le bonheur sont diamétralement opposés dans cette danse qu'est la vie des machines humaines. Toute la question est là... L'abdication doit être totale. D'accord ? Vous devez chercher votre propre flux intérieur, et savoir négocier ses courants et ses rapides. Werner dit clairement que, lorsque vous commencez à exprimer votre flux, il prend la forme ronde du globe terrestre. C'est cela, le grand secret. Une fois que vous avez construit le radeau pour voyager sur votre flux, une fois que vous avez franchi les rapides et bravé les tourbillons, alors vous pouvez envisager de devenir un disciple spirituel. Voilà le secret. Il n'y a rien d'autre.

« Quant aux relations, eh bien, il s'agit simplement de s'ajuster au flux de l'autre personne, poursuivit-il. Il faut créer un univers d'amour et de jeu qui entretienne la danse de la vie. Cet univers devient alors un abri pour l'objet, c'est-à-dire l'autre machine humaine. Ce sont les options qui s'offrent à vous. Car votre flux, comme une rivière, possède ses affluents, appelés options. En d'autres termes, comme le dit si bien Werner, *vous êtes* le pouvoir supérieur, l'être suprême.

Le visage de Myers se fendit d'un sourire satisfait.

— Eh bien, franchement, je suis heureuse que quelqu'un le soit, dit Elena. Mais dites-moi, comment vous êtes-vous rencontrés, tous les deux ?

— C'est mon pasteur, dit Neil.

Alors soudain, elle fit le rapport. Myers était le nouveau pasteur de l'église épiscopalienne, bien sûr. Comment ne l'avait-elle pas compris plus tôt ? L'église St. Mark, celle que personne n'aimait. Or, bien que Myers fût antipathique et qu'il donnât l'impression d'être du genre à tripoter les enfants de chœur dans la sacristie, il lui faisait de la peine. Elle imaginait chacun de ses sermons, chacune de ses admonestations ou de ses oraisons, tous accueillis par le silence, sinistre baromètre de l'échec épiscopalien. Et sans cesse il renouvelait ses exégèses et ses prières pour se heurter au même silence.

— Si tu lis Vonnegut, disait Myers à Neil, prends *Abattoir Cinq*. C'est sa meilleure période.

Neil répondit par un large sourire à cette suggestion très *in* de son pasteur. Ils ne devaient pas être légion, les habitants de New Canaan qui parlaient son langage.

Quand Dot Halford arriva dans la pièce quelques minutes plus tard — à 23 h 20 —, elle les trouva tous les trois, Elena, Neil Conrad et Wesley Myers, frappés de mutisme. Myers semblait fatigué et préoccupé. Et lorsqu'elle éteignit la télévision, il devint clair que plus personne, dans la bibliothèque, ne parlait, que tout le monde s'était englué dans le silence.

Le jeu des clés allait pouvoir débuter.

Elena remarqua le tableau d'art moderne sur le

mur, juste en face d'elle : trois coups de pinceau rageurs rouges et jaune sur un fond blanc. Et le motif du tapis : des reptiles sur des cailloux. Des cailloux au fond de l'eau.

— Bien, dit Dot, la voix légèrement pâteuse.

Elle paraissait vaciller sur ses talons.

— Nous avons des petites choses à faire, maintenant. Alors si vous voulez jouer avec nous, soyez gentils de venir rejoindre les autres dans le salon.

La plupart de ceux qui n'avaient eu aucune intention de participer étaient déjà partis. George Clair et sa femme, ainsi que presque toutes les vieilles familles de New Canaan — les Benedict, les Booton, les Carter, etc. Toutefois, à en juger par l'incertitude nerveuse qui régnait dans la salle, Elena devina que l'anxiété et l'ivresse de Dot s'étaient propagées parmi ses convives. Six ou sept de ceux qui sortirent avec elle de la bibliothèque se dirigèrent sans hésiter vers la chambre d'amis pour y récupérer leurs manteaux. D'autres prirent le temps de saluer plusieurs personnes, d'échanger encore quelques mots ici et là. Malgré leur apparente indifférence, Elena remarqua les fréquents regards qu'ils jetaient vers le saladier rempli de clés qui trônait sur le guéridon.

Ainsi, ils étaient tous réunis là, à 23 heures passées, comme pour un congrès d'animateurs de noces et banquets, chacun arborant un sourire fanfaron. Mark Boland, Maria Conrad, Neil Conrad, Sally et Steve Armitage, Alice et Pierce Sawyer, Ernest et Sari Steele, les Boyles, les Gorman, Janey et Jim Williams, les Gadd, Stephan Earle et sa femme, Marie, les Fuller, les Buckley, Chuck Spofford, June Devereaux, Tommy Finletter, Alicia Monroe. Dot et Rob Halford.

Et les Hood.

Après un rapide calcul, Elena entrevit immédiatement le problème. Il restait un nombre impair de convives, un homme en trop.

Et malgré cela, le choix était plutôt restreint. Wesley Myers s'était éclipsé. Par la petite porte, sans doute. Elena se demandait bien avec qui elle supporterait de passer la nuit.

Son mari était toujours là, et, tout bien réfléchi, c'était peut-être encore lui qu'elle préférerait. Il s'était rapproché d'elle et la tenait par les épaules. A moins qu'il ne s'y accrochât. Il n'avait pas l'air bien stable.

— Prête à y aller ? murmura-t-il. J'étais... je pensais que je... enfin, il vaut mieux qu'on parte tout de suite, ma chérie. J'en ai... assez. Assez de toute cette merde.

Il paraissait abattu. Ses traits étaient tirés, son visage moite de transpiration. Il avait besoin d'aide. Mais Elena n'avait pas envie de lui porter secours. En d'autres occasions, elle l'avait couché, comme un gosse malade. A une ou deux reprises, elle avait même changé les draps quand, au beau milieu d'un sommeil éthylique, il s'était mis à vomir. Et régulièrement, elle l'accompagnait à la gare quand sa gueule de bois l'empêchait de conduire. Ou appelait sa secrétaire, chez Shackley et Schwimmer, et improvisait des excuses pour ses absences.

— On ne va nulle part, dit-elle.

Benjamin gémit. Un grognement interrogatif, incrédule.

— On reste, murmura-t-elle.

Elle adressa un signe aimable à Janey Williams, qui lui faisait face de l'autre côté de la salle.

— Ça va, Janey ?

Janey répondit sans conviction.

Dot avait mis un disque sur la platine. La bande originale de la comédie musicale *Hair*. A présent, elle baissait l'intensité des lumières. Les trente et un infidèles se rassemblèrent, comme pour se tenir chaud. Elena et Benjamin étaient flanqués des Armitage d'un côté, de Maria et de son fils Neil de l'autre. Le gosse serait sûrement le laissé-pour-compte, non ? Qui pourrait avoir envie de passer la nuit à initier un adolescent aux joies du sexe ?

— Bien... Quel ordre va-t-on adopter ? demanda Dot avec un calme affecté. Alphabétique ?

— La taille, déclara Pierce Sawyer. Honneur aux plus petites.

Un rire nerveux secoua l'assistance. Dot ouvrit les mains, l'air interrogateur.

— Alors, mesdames, qu'en pensez-vous ?

— Oh, flûte ! dit Maria Conrad. J'y vais. On n'a qu'à faire la queue, c'est tout.

Le saladier passa de main en main comme le vin de l'Eucharistie. Les hommes se regroupèrent derrière Dot. Maria plongea la main à l'intérieur et en ressortit un trousseau de cuir sombre. Des clés d'Alfa Romeo. Stephan Earle. Elena crut percevoir la déception de Stephan alors qu'il s'avançait vers Maria. Il avait probablement quelqu'un d'autre en tête. Mais après tout, qui sait ? Tout le monde applaudit alors que Maria, en souriant, remettait les clés à son propriétaire. Elle lui prit le bras et l'entraîna vers la chambre d'amis pour qu'ils récupèrent leurs manteaux. Voilà. Ce n'était pas plus difficile que ça. Même Marie, la femme de Stephan, leur souhaita de passer une bonne nuit.

Et Neil ? Aucun adulte ne l'avait encore envoyé se coucher. Quel âge avait-il ? Dix-sept, dix-huit ans ? Presque majeur. Il ne parut même pas prêter attention à la sortie pourtant remarquée de sa mère.

Dot Halford était déjà passée au couple suivant. Son mari était appuyé contre la cheminée, un verre à la main, un sourire fatigué aux lèvres. Ils faisaient bonne figure, ces hommes, comme s'il s'agissait d'un devoir civique.

Marie Earle s'avança vers le saladier et partit avec Dan Fuller, dont la femme piocha à son tour. (Un ordre tacite fut ainsi établi : l'épouse délaissée succédait à celle qui venait de s'éclipser avec son mari.) Heather Fuller se retira au bras de Chuck Spofford, le divorcé. Puis ce fut le tour de June Devereaux qui tomba sur Tommy Finletter, d'Elise Gorman qui s'en alla, ravie, avec l'associé de son époux, Pierce Sawyer. Et ainsi de suite jusqu'à ce qu'un couple, les Gadd, se trouve réuni. Loin d'afficher la déception à laquelle s'attendait Elena, ils eurent l'air au contraire grandement soulagés.

Quand Elena s'interrogea de nouveau sur sa décision de participer, quand elle commença à envisager les questions pratiques — quelle maison choisir, comment rentrer chez elle, comment empêcher les enfants d'apprendre... —, il ne restait presque plus personne. Mark Boland, Neil Conrad, Janey et Jim Williams, Rob et Dot Halford, Sari Steele, et Benjamin.

A partir de là, l'ordre devint confus. Le gin et le whisky n'y étaient sans doute pas étrangers. Janey Williams fut la suivante. Pour la bonne raison qu'elle était fatiguée d'attendre. Elena remarqua l'agitation de Benjamin. Il avait peut-être eu envie de rentrer, ou du moins avait-il cherché à en donner l'impression, mais à présent, il voulait croire en sa chance. Les probabilités jouaient en sa faveur. Il n'y avait plus de musique, et la dernière bûche s'éteignait dans la cheminée. Dot présenta le saladier à Janey qui sélectionna un trousseau avec la délicatesse d'un bijoutier.

Janey connaissait très bien leur porte-clés. Ils avaient eu l'occasion de lui confier la garde de la maison à plusieurs reprises. Elle n'eut donc certainement aucun mal à le repérer parmi les autres. Or, à la grande surprise d'Elena, ce fut pour l'écarter. D'un geste précis, elle repoussa les clés et saisit celles de... Neil Conrad.

L'adolescent ! Jim Williams affecta d'être plongé dans un vieil exemplaire du *National Geographic* tandis que sa femme étreignait le fils mineur de Maria Conrad. Elena décela un demi-sourire mystérieux sur ses lèvres. Toutefois, ce ne fut pas lui qui créa l'événement, mais Benjamin, qui se jeta en avant comme pour aller les séparer. On crut même qu'il allait en venir aux mains ; il fut à deux doigts de frapper Neil. Elena rougit de honte pour lui. Des cris fusèrent. *Ben, hé, une minute, ne faites pas l'idiot !...* Benjamin se ressaisit, prenant soudain conscience de l'énormité de son comportement. Il fit marche arrière.

En reculant, il trébucha contre la table basse. Les amateurs de scandales en feraient des gorges chaudes. Benjamin s'écroula pesamment et resta étalé, face contre terre, comme s'il était naturel pour lui d'être vautré sur la moquette des Halford. Elena, médusée, ne fit aucun geste pour l'aider, pas plus que les Halford. Jim Williams leva le nez de son magazine, l'air indifférent. Benjamin éructait des propos incohérents. Elena saisit quelques bribes ; il était plus ou moins question de Shackley et Schwimmer, de son passé, de New Canaan... Elle essaya de ne pas y prêter plus d'attention que les autres.

Mais quand Benjamin fut secoué de soubresauts, elle n'eut d'autre choix que d'intervenir.

— Allez, Ben, dit-elle en s'agenouillant près de lui. Allez, il ne faut pas que tu restes là. Viens...

Il avait l'haleine nauséeuse et des yeux rouges d'albinos. Elle n'eut pas le temps de se sentir humiliée ; il y avait une telle tristesse, dans son regard...

— Dot ? dit-elle. Je peux l'installer dans ta salle de bains ? Ce ne sera pas long. Je suis désolée, franchement...

— Ne t'excuse pas. Ce sont des choses qui arrivent.

Dot, à l'aide d'une serviette couleur lavande, essuya l'irish coffee que Benjamin avait entraîné dans sa chute.

Mark Boland aida Elena à le remettre sur ses pieds. Dès qu'il fut debout, Benjamin refusa toute assistance et se précipita vers la salle de bains en hoquetant. Quand Elena reporta son attention sur le jeu — avec beaucoup moins d'enthousiasme et une culpabilité latente —, Neil Conrad et Janey Williams étaient partis, et Mark Boland semblait sur le point de leur fausser compagnie avec Dot. L'affaire avait été conclue avec discrétion, en marge des autres activités. La fin du jeu approchait. Ils ne furent bientôt plus que quatre. Rob Halford, Sari Steele, Jim Williams et Elena.

— Pour être franc, je n'avais pas mis mes clés dedans, dit Rob. Vous ne le répéterez à personne, j'espère ?

Il partit d'un rire retentissant, puis reprit :

— Nous allons nous éclipser quelque temps à l'étage. Vous voulez un café, ou quelque chose, avant que nous disparaissions ?

Jim et Elena se regardèrent.

— Ne vous en faites pas pour nous, Rob, nous saurons nous débrouiller, répondit-elle. Allez-y...

Elena et Jim se retrouvèrent donc seuls dans le salon des Halford. Un raz-de-marée semblait avoir dévasté la pièce. Des cannettes de bière traînaient dans tous les coins, remplies de mégots de Virginia Slim, de Kent, de Winston. Les gobelets en plastique débordaient de serviettes parme et de résidus de hors-d'œuvre. Elena fut horrifiée par le nombre de bouteilles d'alcool vides sur le bar. Les coussins du canapé étaient dispersés par terre, et des traces de boue marquaient la moquette. Les rideaux empestaient le tabac.

Les dernières braises rougeoyaient dans l'âtre.

— Je me demande si mes clés sont toujours là, dit Jim. Ce n'est pas très prudent, en fin de compte, de laisser ses clés comme ça, n'importe où...

— Nous allons bien voir, dit Elena, qui, cérémonieusement, souleva le saladier, comme si ce geste revêtait une signification spirituelle.

Elle y plongea la main. Il ne restait plus que deux trousseaux de clés. L'un d'eux, bien entendu, était le sien. Elle l'écarta, ainsi que l'avait fait la femme de Jim. Au départ, il s'agissait pour elle de lui restituer ses clés, rien de plus, mais elle n'était pas dupe. Elle jouait le jeu. Avec une sorte de résignation, mais aussi avec espoir.

— Oh, je ne crois pas, répondit Jim à sa question muette. La soirée a été plutôt... déprimante.

— Qu'espériez-vous d'autre, Jim ?

— Je ne sais pas. Autre chose, en tout cas. A vrai dire, je n'y avais pas beaucoup réfléchi.

Williams portait un pantalon vert bronze à fines rayures rouges et jaunes, et une chemise blanche, rayée, elle aussi, dont le large col ouvert s'étalait sur les revers de sa veste. Sa grosse moustache rejoignait ses rouflaquettes touffues.

Ils s'assirent sur le canapé.

— Vous voulez un café ? proposa Williams.

— Si on peut le préparer rapidement, pourquoi pas ? Ils ont peut-être de l'instantané. Vous arrivez de la ville ? Avec ce temps...

Le temps était épouvantable, et les derniers flashes météo que Jim avait entendus à la radio n'étaient pas optimistes. Il fallait s'attendre à une chute de la température d'au moins quinze degrés dans la nuit.

— Mmh... S'il doit faire froid comme ça, dit-elle alors qu'ils passaient la cuisine au peigne fin pour trouver du café soluble, vous feriez aussi bien de...

— Écoutez, Elena, le fait que nous sommes... voisins, vous comprenez, des amis proches, eh bien... ça rend les choses un peu malaisées, vous ne trouvez pas ?

— Mon mari est allé s'effondrer dans la salle de bains, dit-elle. Nous sommes mariés depuis dix-sept ans et je n'ai aucune intention d'aller le récupérer. Ce soir, je dis non. Je ne suis pas à son service. Vous comprenez ce que je veux dire ?

Jim Williams ne répondit pas.

— Donc, ce que je vous suggère, étant donné que votre femme est partie avec ce garçon et que vous êtes seul, c'est que nous prenions l'unique parti qui ait un sens. Autrement dit, que nous passions un bon moment en nous tenant chaud. C'est tout. Je sais que ma proposition manque d'élégance, mais...

Ils regardaient leurs mains, leur tasse de café, les hachures sur la planche à découper. Les branches de céleri sur le comptoir, les autocollants sur le frigo, la poubelle qui débordait d'assiettes en carton.

— Je suis mariée, vous savez, insista Elena. Vous ne me serez d'aucune utilité à long terme, si c'est ça qui vous inquiète. Si vous n'avez plus jamais envie d'en reparler par la suite, rien ne vous y obligera. Ne cherchez pas non plus à me culpabiliser, je dis tout haut ce que vous pensez tout bas.

Longue communion silencieuse.

— Pourquoi pas, après tout ? dit Jim. Venez, on va faire un tour.

Ce fut à elle d'hésiter.

— On... on devrait peut-être nettoyer un peu, avant de partir ? Vous croyez que...

— Non. Ce n'était pas dans le contrat.

Ils éteignirent tout de même les lampes du rez-de-chaussée. Elena ne prêta pas plus attention à l'eau qui coulait dans la salle de bains qu'à la lumière qui filtrait sous la porte. Ils éteignirent la cuisine, la bibliothèque, la chambre d'amis, et remirent la sculpture en place dans le salon, là où elle trônait habituellement. Ils s'aidèrent ensuite à enfiler leur manteau.

Dehors, tout avait changé. Ils avaient affaire à un phénomène météorologique d'une ampleur rare pour la région. La neige, transformée en glace par le vent, durcissait instantanément sur les arbres, les toits, les fils électriques et le sol.

— Il va falloir qu'on dégivre un petit moment, dit Jim alors qu'ils s'installaient dans sa Cadillac.

Par chance, la voiture démarra au quart de tour. Elena se demanda si les autres convives avaient découvert comme elle l'effet plutôt inhibant de la froidure sur les pulsions adultères. Au beau milieu de la tourmente, l'infidélité relevait presque du ridicule. Elle était sur le point de le dire à Jim quand il se pencha pour l'embrasser. Les ventilateurs leur soufflaient un air tiède dans les cheveux ; le pot d'échappement crachait une fumée opaque.

— On peut baisser les sièges ? demanda-t-elle.

Elena n'avait jamais fait l'amour dans une voiture. Sans perdre une minute, Jim déboutonna sa braguette. Elle avait du mal à suivre le rythme. D'une main, elle baissa son pantalon et son collant, et, de l'autre, chercha un point d'appui pour s'asseoir sur lui. Elle n'eut que le temps de lui glisser à l'oreille qu'elle prenait la pilule avant qu'il la pénètre.

Ce fut rapide, indolore, et terminé en un temps record. Jim gémit plaintivement. Le pare-brise n'était même pas encore tout à fait dégivré.

Elena pensa à cette phrase de Kinsey : « La rapidité avec laquelle l'homme moyen accomplit l'acte sexuel peut se révéler très insatisfaisante pour une femme inhibée ou naturellement lente à répondre aux stimuli érotiques, comme c'est le cas de la majorité des femmes. Une telle différence entre les réponses sensuelles des hommes et des femmes est fréquemment à l'origine de conflits conjugaux. »

Jim Williams se frottait la nuque.

— C'était affreux, dit-il. Vraiment affreux. Je suis désolé, Elena. Ça va mal à la maison. Vous ne pouvez pas imaginer à quel point. Janey est une malade, instable. Évidemment, le moment est peut-être mal choisi pour vous raconter ça... mais c'est plus fort que moi. Elle n'arrive pas à être heureuse, Elena. Je ne peux pas la rendre heureuse, les garçons non plus. C'est comme si... c'était au-dessus de ses forces. J'ai l'impression qu'elle attend de moi quelque chose que... que je lui aurais promis. Vous voyez, une promesse que je n'aurais jamais tenue.

— Allons-y, dit Elena. Il faut que j'aille voir ce que font mes gosses. Paul est censé rentrer ce soir.

Jim attacha sa ceinture.

— Bon Dieu, Elena, je ne veux pas qu'on en reste là. Je peux faire mieux que ça, je vous assure.

Elle soupira.

— On peut toujours en parler, si vous voulez.

— D'accord. Je n'en attendais pas moins de vous.

— Vous avez peut-être simplement besoin de... Enfin, si vous avez envie de vous confier...

— Oui... Oui, je crois que ça me fera du bien.

De la main, il lui fit signe de mettre sa ceinture. La voiture venait à peine de démarrer quand ils remarquèrent les traces de dérapage dans l'allée. La couche de neige cachait une croûte de glace, bien plus dangereuse. Une vraie piste d'autos tamponneuses. La Cadillac n'en faisait qu'à sa tête. Jim tournait le volant dans un sens, puis dans l'autre, incapable de contrôler son véhicule.

Tous deux se turent ; sans doute les remords. Ils étaient redevenus de simples voisins. Avaient-ils jamais été autre chose, d'ailleurs ? Elle ne se sentait pas près de réitérer ce genre d'expérience, aussi romantique qu'un frottis vaginal. Elle préférait encore suivre un reportage sur la guerre à la télé ; ou faire la queue dans une station-service en pleine crise du pétrole ; ou bien encore — elle en fut elle-même surprise — nettoyer le vomi de Benjamin. Ainsi donc elle rentrait chez elle avec son voisin, un type qu'elle ne respectait guère, après avoir baisé avec lui dans sa voiture.

Ils abordèrent bientôt l'épingle à cheveux de Ferris Hill Road. Au moment même où ils apercevaient les autres véhicules abandonnés au pied de la colline, Jim perdit pour de bon le contrôle de la Cadillac. Ils firent deux tours complets sur eux-mêmes. Elena entendit le cri clair et pur montant de sa gorge, mais eut du mal à croire qu'il venait d'elle. Durant quelques secondes, avant qu'elle n'imagine sa propre mort, plusieurs choses lui traversèrent l'esprit. Ce qu'elle n'avait pas eu le temps de faire. Préparer la gamelle du chien. Envoyer Paul chez le coiffeur. Convaincre Wendy de porter ses chaussures neuves. Remplacer les rideaux du salon avec Benjamin.

La Cadillac piqua du nez dans un fossé peu profond. L'avant de la voiture se plissa en accordéon et la carrosserie se replia en gémissant sur le moteur.

Jim Williams posa sa tête sur le volant.

— Ça va, Elena ? demanda-t-il.

Elle hocha la tête.

— Oui.

— Joyeux Thanksgiving, ironisa-t-il.

Il dégagea ses jambes — il n'était pas blessé, un vrai miracle — et l'aida à sortir. Le coin était transformé en casse. Des voitures partout. Abandonnées.

— Écoutez, le mieux, c'est que vous passiez la nuit chez moi, dit Jim. C'est plus près. Vous n'allez pas rentrer chez vous à pied, ce serait ridicule. Vous pourrez dormir dans la chambre d'amis, si vous voulez.

Elena réfléchit.

— D'ailleurs, je suis sûr que votre fils n'a pas pris le train, insista-t-il. Il a plus de jugeote que ça. Quant à Wendy, elle est certainement bien au chaud dans son lit. Vous n'avez donc aucune raison de rentrer. Et puis, j'ai une dette envers vous. Je ne veux pas que nous nous quittions sur une aussi mauvaise impression.

Elena réfléchit.

Pour couronner le tout, à minuit pile, le réverbère au coin de Ferris Hill et de Valley Road, le seul à des kilomètres à la ronde, s'éteignit.

Libbets Casey expliqua à Paul Hood qu'elle l'aimait comme un ami. Elle avait la voix pâteuse. Pendant cette discussion, le monde extérieur s'était dissous. La démission de Spiro Agnew, l'affaire du Watergate... tout cela avait disparu. Paul lui avoua qu'elle était sa meilleure amie au monde, la seule personne avec qui il se sentait en confiance ; la façon même dont il le lui disait prouvait le contraire, mais il s'efforçait de la convaincre.

Ils s'assirent sur le bord du lit de Libbets.

— Tu ne me connais pas vraiment, dit-elle.

— Bien sûr que si, Libbets. Je sais ce que tu prends à la cafétéria, où tu t'assois à l'église. Rien de ce que tu fais ne m'est inconnu, tu comprends ?

— Oh, Paul... je t'aime bien, moi aussi, mais...

Et elle lui répéta qu'elle l'aimait, mais comme un ami. Ils avaient pris des feuilles et des crayons de couleur et dessinaient tout en parlant. Paul refusait de désespérer. Tant qu'ils étaient là, tous les deux, elle pouvait encore changer d'avis. Il dessina une silhouette sur sa feuille, et la coloria d'orange et de jaune. Un adolescent transformé en torche vivante. Dans la bulle, il inscrivit :

Pour Libbets, je me consume. D'amour.

Elle le félicita, l'encouragea dans une carrière de

dessinateur, mais il balaya ses compliments d'un haussement d'épaules.

Paul se demandait si, assis là, sur le lit, en train de la regarder rajouter des coups de crayon à son dessin, il n'évoluait pas dans un monde onirique. Comment être certain qu'il n'était pas l'acteur d'un rêve appartenant, par exemple, à Francis Chamberlain Davenport IV, qui dormait sur le canapé du salon ? Un rêve salvateur, peut-être, ou spirituel, ou bien un rêve déplaisant n'offrant que de rares instants de répit. Des instants qui le préparaient au long épisode de torture à venir.

— Ce n'est pas que tu ne me plaises pas, insistait Libbets, c'est seulement que je ne crois pas que ce soit bien. Je te considère plus comme un frère, tu vois ce que je veux dire ? Parce que...

Les crayons étaient étalés en éventail autour des feuilles. Quelle réponse appelait une telle déclaration ? *Tu te trompes ? Un jour, tu verras, tu le regretteras ?* De toute façon, il ne savait pas ce qu'il voulait, ni comment la persuader. Il savait en revanche qu'il ne voulait pas quitter ce lit ni la compagnie de Libbets. Il songea que peut-être il cherchait un contact, un contact permanent. Il voulait être chirurgicalement lié à elle, devenir son siamois. Il voulait expérimenter avec elle un de ces baisers haute tension de certains dessins animés.

— Et si on allait dans cette disco ? dit-il. Chez Max ?

— Je ne sais pas. Je suis tellement crevée...

— T'as pas envie de... de sortir au moins une fois avant de reprendre les cours ? Rien qu'une fois ? T'as rien à craindre, tu sais. Je te raccompagnerai ici. Promis.

— Pourquoi pas, dit-elle enfin. Si on prend un taxi.

Il n'était pas loin de 22 heures.

D'abord, Paul passa un coup de fil chez lui. Il était censé tenir sa mère au courant de ce qu'il faisait, mais il avait surtout envie de parler à sa sœur. Lui dire que ça ne marcherait pas, qu'il n'aurait jamais aucune petite amie sérieuse et qu'il serait éternellement condamné à vivre dans ce cachot sans fenêtre où personne, jamais, ne caressait sa peau. Son corps, avait-il envie de lui dire, était comme les murs suintants d'une cave à vin. Mais il ne confia rien de tout cela à Wendy. Il avait déjà fait ce genre de confidences, à la table familiale; pour toute réponse, on lui avait demandé de passer la moutarde ou la gelée d'abricots. Depuis, il gardait ses réflexions pour lui. Il raccrocha sans avoir rien dit.

Libbets piocha dans la liasse de billets que ses parents lui avaient laissée et en tendit une poignée à Paul. Le portier avait déjà appelé le taxi. Paul lui donna un pourboire princier.

La discothèque annonçait deux shows pour la soirée. La musique filtrait jusque dans la rue. Paul attira Libbets contre lui, et ils écoutèrent quelques instants. Dans la rue. Sur le trottoir. Juste devant chez Max. Parce qu'ils n'iraient pas plus loin. Ils avaient fait tout ce chemin pour rester plantés là, devant la porte. Le type qui gardait l'entrée avait été catégorique. *Dehors*. Paul avait seize ans, Libbets dix-sept, et l'un comme l'autre faisaient leur âge. Pas plus. Serrés l'un contre l'autre, ils essayaient de se tenir chaud. Les taxis éclaboussaient le trottoir en roulant dans le caniveau. Les badauds se dispersaient.

Ils regardèrent les clients de chez Max défiler devant eux.

En novembre 73, les New York Dolls, un groupe

new-yorkais, prenaient la tête du hit-parade avec *Personality Crisis*. Ils s'étaient récemment produits au Waldorf Astoria, et au Théâtre national du Nouveau-Brunswick. Mott the Hoople passait lui aussi à New York ce mois-là. Le groupe avait débuté en imitant les Stones, comme la plupart, mais le titre *All the Young Dudes* avait marqué un tournant dans leur carrière. A partir de là, ils étaient devenus plus créatifs. Lou Reed se produirait à l'Academy of Music, à l'autre bout de la rue, d'ici quelques semaines. Tous ces types portaient des chaussures à semelles compensées, des boas et des combinaisons de cuir. Leurs chansons parlaient de travestis — Holly Woodlawn, Candy Darling, Sugar Plum Fairy, Jackie Curtis.

Dans le numéro de novembre de *Creem*, un critique de rock appela 1973 « l'année du transsexualisme ». Quelques pages plus loin, on pouvait lire un article de Dick Clark sur le même sujet : « Bisexuel... Comment dit-on, encore ? Marcher à voile et à vapeur. Je pense que, de même que les manifestations, ce mouvement relève en grande partie d'une mode. Beaucoup de jeunes manifestent pour "être dans le coup". Et c'est peut-être ce qu'il se passe avec cette flambée de travestisme dans le milieu du rock. A mon avis, ce sera un feu de paille. Je crois que c'est avant tout le signe d'un besoin de voir le show-business revenir à la musique. C'est pourquoi l'on trouve un Elton John, un Liberace, un Alice Cooper. C'est cela, le showbiz. Nous savons tous qu'Alice Cooper est un mystificateur. Ce qui m'amuse surtout, dans cette histoire, ce sont les études pontifiantes des sociologues ; la perplexité du monde devant ce déferlement de folie a de quoi faire sourire. En ce qui me concerne, je n'arrive pas à y attacher la moindre signification. »

La Factory, sur Union Square, n'était pas loin de chez Max. Paul aurait pu croiser Andy Warhol, un habitué du quartier. Warhol était de retour après avoir tourné *Frankenstein* et *Dracula* à Rome pendant l'été, et il en profitait pour réorganiser son magazine, *Interview*, dans le numéro 9 duquel on trouvait la description suivante à propos d'un dîner chez Pearl, un restaurant chinois : « Bob Colacello, ensemble de velours côtelé émeraude de Polidori, chemise de soie Yves Saint Laurent et eau de Cologne de Givenchy ; Vincent Fremont, veste gabardine et pantalon tabac, chemise blanche Brooks Brothers ; Jed Johnson, blazer bleu Yves Saint Laurent, chemise ciel Brooks Brothers, cravate rayée Tripler, jean New Man ; Andy Warhol, veste de velours mordorée DeNoyer, Levi's, Boots Berlutti di Priigi, chemise Brooks Brothers, cravate rouge et gris Brooks Brothers, pull en V bistre Yves Saint Laurent. »

Mais en raison du tournage de Valerie Solanas, et parce qu'il avait réduit le nombre de scs apparitions publiques, Warhol ne vint pas chez Max ce vendredi-là.

Ils piétinaient sur place, gelés, incapables de prendre une décision. Et Libbets avait mal au cœur.

Pas facile d'avoir seize ans à New York la nuit même si on a assez d'argent dans les poches pour s'offrir l'entrée de n'importe quel club branché. Paul envisagea un instant d'aller traîner à Union Square, dans le parc, avec ses buissons épais, sa faune de drogués et de dealers. Mais il connaissait déjà le résultat : il claquerait un maximum pour fumer un joint de sarriette ou de romarin. A moins qu'ils n'aillent dans une autre disco. Une de ces boîtes sur Upper East Side où on ne posait pas de questions à l'entrée. Mais le fait qu'il lui faudrait, au bout du compte, quitter Libbets, commençait à l'empoisonner. Il allait devoir le prendre, ce train. Et pour ça, il devait garder ses dix derniers dollars.

— Rentrons, dit-il. On n'aurait pas dû venir ici. C'est ma faute. Excuse-moi. Je vais te ramener chez toi et je partirai.

— Je vais... te déposer à la gare, répondit-elle.

— Non, non. Pas question. Je te ramène. Tu ne te sens pas très bien, c'est normal...

Un désespoir pathétique se peignit dans le regard de Libbets. Elle frissonna, fronça les sourcils et pencha la tête d'une façon étrange, comme frappée par une douleur subite. Alors, pliée en deux, elle vomit dans la rue, juste devant chez Max. Une soupe blanchâtre qu'elle éjecta avec la force d'une lance à incendie et qui, sur la boue glacée, fuma comme une substance radioactive. Paul recula vivement, avec le vain espoir d'échapper au désastre, mais ses chaussures montantes ne furent pas épargnées. Pour un peu, il l'aurait volontiers laissée se débrouiller seule.

Une fille qui vomissait en public... Il ne manquait plus que ça.

— Désolée, gémit-elle. Ô mon Dieu, je suis désolée, Paul...

Horrifié, il courut sur Park Avenue pour héler un taxi.

Libbets pleurait quand il l'aida à monter. C'était le lendemain de Thanksgiving et sa famille était partie sans elle. Ils étaient allés skier. Paul comprit sa détresse. Et ressentit la sienne. Il regrettait de ne pouvoir lui redonner confiance, comme l'aurait fait n'importe quel héros de B.D. La tristesse gagnait les salons de l'Amérique, les clubs, les rues. Lui aussi se sentait las et avait envie de l'abandonner, cette fille qui vomissait. Il l'aimait et il avait envie de l'abandonner. Il était 22 h 28.

— Désolée pour tes chaussures, dit-elle.

Il ne savait que répondre. Il se pencha pour l'embrasser sur les lèvres ; elles avaient le goût du contenu âcre de son estomac. Un baiser destiné à conjurer son dégoût et à lui prouver qu'il pouvait l'embrasser sans arrière-pensée, comme un type décent.

De nouveau, il l'aida pour descendre du taxi, la tint par les épaules pour traverser la réception, lui caressa le bas du dos dans l'ascenseur, et la conduisit dans sa chambre. Elle fonça dans la salle de bains et vomit encore, avec une sorte de distinction, cette fois. Paul eut à son tour des haut-le-cœur ; il fut sur le point de dégueuler tripes et boyaux, par sympathie. Elle continuait à pleurer.

Davenport ronflait toujours, mais dans la chambre d'une des sœurs de Libbets. Selon toute évidence, il avait bougé. Peut-être lors d'une crise de somnambulisme. Ses ronflements couvraient presque les bruits de Libbets.

Elle était en chemise de nuit quand elle sortit de la salle de bains, et les yeux de Paul s'allumèrent en se posant sur son fin bracelet de cheville. A la lueur de la lampe de chevet, ses courbes harmonieuses ondulaient sous le tissu transparent. Elle se glissa sous la couverture.

— Ça va mieux ? demanda-t-il.

— Oui, bien mieux, marmonna-t-elle. J'aurais pas dû faire de mélange.

— Merci pour cette soirée, Libbets. J'ai vraiment passé un très bon moment.

— Mmmh.

— J'ai rarement l'occasion de voir New York, en fait. Avant, on y venait avec mon père, à Noël. Une fois, on est allés au cirque. Il y avait trois pistes en même temps, tu te rends compte ? On savait plus quoi regarder. Mais maintenant, on y va presque plus et tu sais... en fait, j'ai pas beaucoup d'amis, et c'est pas si souvent que...

Libbets sombrait dans l'inconscience, refaisait surface, replongeait aussitôt. Elle était belle et fantomatique, presque diaphane, pelotonnée en un délicat point d'interrogation.

Il lui demanda s'il pouvait se reposer près d'elle une minute. Rien qu'une minute, pas plus, parce qu'il avait son train à prendre. Pour l'aider à s'endormir. N'obtenant aucune réponse, il retira ses chaussures trempées — piquetées de boue et de vomi — et son pantalon kaki. En caleçon à carreaux, il entra dans le lit.

Tout ce qu'il voulait, c'était la prendre dans ses bras et lui offrir l'affection rassurante d'un père pour son enfant malade. Sa seule intention était de l'aider, de lui faire sentir qu'il pouvait l'aider. Et quand sa poitrine qui se soulevait au rythme paisible de sa respiration lui effleura le bras, quand il lui releva les cheveux pour poser la main sur son front, il sut qu'il n'avait pas envie de gâcher cet instant. Il ne demandait qu'à se rendre utile.

Au lieu de cela, cependant, son pénis dilaté commença à se frotter contre les fesses voluptueuses de Libbets. Il réalisait ce qu'il était en train faire, mais refusait de l'admettre. Son sexe était doté d'une volonté propre ; la honte et la tristesse qu'il engendrerait relèveraient de sa seule responsabilité. Il s'en foutait, lui, de la communion des adolescents en détresse. En une minute à peine, Paul releva la chemise de nuit de Libbets et se frotta à même sa peau nue. Il atteignit les franges de cette extase à la fois fabuleuse et infiniment triste.

Le véritable frisson de la masturbation venait de la possibilité de se faire surprendre au moment de l'orgasme. Le frère qui débarque, ou la mère. Là, Paul fut touché par une sorte de révélation. Un flash de clairvoyance. Il réalisa que ni la rondeur de ses adorables fesses, ni son coccyx, ni le sein qu'il tenait dans sa main ne pourraient lui apporter le sentiment qu'il recherchait. Il se rendit parfaitement compte du genre de petit saligaud qu'il était. Mais cette pensée éclairée se perdit dans le mouvement ; il venait de passer la vitesse supérieure. Son éjaculation couronna une minute trente d'efforts.

Il parvint à rouler sur le côté.

— Oh, Libbets... murmura-t-il.

Et il jouit. Tout seul. Sur sa main, et sur le drap de Libbets.

Aussitôt, il bondit hors du lit. Le cœur battant, il jeta un coup d'œil sur sa montre. Chercha ses vêtements. Qu'était-il, au juste ? Shooté ? Dingue ? Pervers ? Il fonça vers la salle de bains où il se lava les mains avant d'attraper une serviette à fleurs et de retourner dans la chambre. Libbets dormait toujours. Il frotta la tache sur le drap. Quand elle roula sur le dos, sans doute dérangée dans son sommeil, elle n'en était plus qu'à quelques centimètres. En lui chuchotant des excuses, il se remit à frotter. C'était tenace, bon sang ! Ça s'accrochait au tissu. Il ne pouvait rien faire de plus, sinon laisser sécher. Il pria pour que sa semence ne remonte pas toute seule entre les cuisses de Libbets.

Il était presque 23 heures. Davenport avait-il entendu quelque chose ? Il ne ronflait plus. Paul se rhabilla, retourna dans le salon récupérer sa B.D. Il était seul dans l'appartement. Un monde de dormeurs veillait sur son secret. Comment pourrait-il reprendre sa place en face de Libbets au cours de français de M. Lejeune ? Aurait-il le cœur de célébrer la naissance de l'enfant Jésus, dans un mois ? Où trouverait-il la joie de fêter l'avènement de la nouvelle année ?

Dans l'immédiat, le mieux était encore de ne rien changer à son programme. D'abord, prendre le train, comme prévu. Retourner à New Canaan. Déjeuner le lendemain matin avec ses parents. Essayer d'apprécier leur compagnie, de les écouter. Reprendre le train pour Boston dimanche, toujours comme prévu, et de là, le car pour Concord. Aller à l'église lundi — inévitable. Suivre les cours de géométrie, de chimie, de littérature et de français, comme s'il n'avait d'autre but que de réussir ses examens. S'il tenait à retrouver un certain équilibre psychique, c'était la seule solution.

Il avait remis son pantalon, plutôt humide, et boutonné sa veste. Retenant sa respiration, il se pencha sur l'épaule de Libbets pour effleurer sa pommette du bout des doigts.

— Mmmh, gémit-elle dans son sommeil.

Il marmonna une dernière excuse, comme si les mots pouvaient effacer les actes.

Le chauffeur de taxi avait enfoncé sa casquette jusqu'aux oreilles. Paul le supplia d'arriver avant 23 heures à la gare de Grand Central. La large avenue qu'ils dévalaient ne l'impressionnait pas. La neige qui commençait à recouvrir les trottoirs pas davantage. Plongé dans l'enfer de l'adolescence, il ne voyait rien. Il n'avait rien d'un homme. Il n'était qu'un gosse. Un gosse privilégié qui avait fait une bêtise. Ses parents l'aideraient ; ils le prendraient en charge, l'enverraient à Silver Meadow. Son père avait de l'argent ; il lui paierait une bonne psychothérapie et viendrait lui rendre visite pour lui apporter des chaussettes et des caleçons propres. Oui, son père lui offrirait un séjour à Silver Meadow dès qu'il aurait été viré de St. Pete.

Il était au guichet à 23 h 10, et sautait dans le train au moment même où les portes se refermaient. Une dizaine de paumés, comme lui, étaient dispersés dans le wagon. Quand le train démarra, Paul s'allongea de tout son long sur une banquette, tel un cadavre sur une table mortuaire.

Et, à la faveur de cet instant de repos, il se rappela qu'il avait dans sa poche le numéro 141 des *Quatre Fantastiques*. Ce fut pour lui aussi rafraîchissant que l'oasis pour le nomade du désert.

Récapitulons : dans le numéro 140, Annihilus s'efforçait de contrôler le monde depuis la Zone Négative, cet univers situé sous le nôtre, où les lois de la nature sont sensiblement modifiées. Annihilus, sorte d'insecte qui, par l'entremise de créatures en voie d'extinction habitant la Zone Négative, les Hereroes, avait été transformé en un engin de guerre ailé et métallique, n'avait qu'un but : devenir maître de l'univers. Et pour y parvenir, il lui fallait anéantir les Quatre Fantastiques. Il avait en particulier l'intention de réduire à néant les pouvoirs du jeune Franklin Richards, retenu à la campagne par sa mère, Sue, loin de Reed, son père, lequel n'avait jamais de temps à consacrer à son fils et qui, en règle générale, était aussi mauvais père que mauvais mari.

Agnès Harkness, l'ex-gouvernante de Sue, hypnotisée par Annihilus, avait attiré Sue et Franklin dans la Zone Négative. Reed, Johnny, Ben et Méduse — qui avait pris la place de Sue dans l'équipe depuis le numéro 112 — partiraient à leur recherche.

Paul considérait toutefois cet épisode comme du remplissage. Ce genre de numéro n'avait en fait d'autre but que d'inciter tous les Paul Hood du continent à acheter l'exemplaire suivant. Ce qui amenait Paul au numéro 141.

Reed était près de voler au secours de sa femme et de son fils. Sa fibre paternelle aussi bien que conjugale vibrait de nouveau, fiévreusement. Paul ne l'avait jamais connu aussi agité, aussi... irrationnel. Cependant, dès le début de l'épisode, Annihilus avait réussi à neutraliser Reed et le reste de l'équipe, momentanément paralysés par une sorte de champ antigravitationnel.

Les Quatre Fantastiques se libérèrent de leur paralysie momentanée et, bientôt, après les avoir combattues, se lièrent d'amitié avec les créatures télépathes qui vivaient là. Grâce à elles, ils réussirent à creuser un tunnel dans la roche sous la forteresse de leur ennemi. Et purent ainsi pénétrer dans le laboratoire où se trouvaient Sue, Agnès Harkness et Franklin Reed, emprisonnés dans une éprouvette géante.

Les huit dernières pages furent de nature à tirer Paul du marécage fangeux où il pataugeait. Ainsi que le promettait la couverture, le petit Franklin brillait effectivement comme une BOMBE ATOMIQUE! A commencer par la lueur de ses yeux, source du pouvoir cosmique qui brûlait en lui. Méduse, Johnny et Ben propulsèrent Annihilus dans une vieille fusée rouillée. Le décor était planté pour l'acte final.

Reed insista pour les ramener tous à New York, où il pourrait utiliser son appareil antimatière et tenter ainsi de stabiliser Franklin. Une fois sur place, Reed fonça pour récupérer son invention.

« Méduse ! » cria soudain Sue « Que fait-il ? On dirait un fusil ! Non ! Reed, non ! »

Quand Paul atteignit le bas de la page 31, il fut bouleversé, comme si la journée entière n'avait été vécue que pour aboutir à cette seconde. A cet instant, il savait que Stan Lee était en communication directe avec l'univers et que, à travers l'histoire de ces super-héros, il lui indiquait la voie à suivre.

Paul reprit son souffle et sa lecture. Reed tira sur Franklin.

« Qu'as-tu fait, Reed ? Tu as transformé ton fils en légume ! Ton propre fils !... »

La dernière image les montrait tous — Franklin, inanimé dans les bras de sa mère, Sue, Johnny Storm, Méduse et Ben — qui tournaient le dos à Reed. Et Reed, effondré, muet d'horreur devant l'énormité de son crime. Fin de l'épisode. La suite au prochain numéro, le mois suivant.

A cet instant les lumières vacillèrent et s'éteignirent. Le train ralentit et finit par s'arrêter. Paul savait par expérience que la chose arrivait fréquemment sur cette ligne. Toutefois, au bout de dix minutes, l'alimentation de secours flancha à son tour. Le wagon fut plongé dans l'obscurité. Un contrôleur passa en courant près de Paul, le faisceau de sa lampe de poche balayant l'allée centrale. Les voyageurs endormis s'agitèrent, se retournèrent sur leur banquette, comme si, dans leurs rêves, on les rôtissait sur des broches. Le train était immobilisé quelque part entre Port Chester et Greenwich. Par la fenêtre, Paul aperçut les lumières des phares sur la Route 95 ; la neige tombait dru, et les voitures se traînaient en glissant sur les voies gelées. Il ne s'agissait pas d'un simple contretemps. Quand le contrôleur réapparut et annonça : *Désolé, on a des problèmes de courant, espérons que ce ne sera pas long à réparer,* Paul sut qu'il était coincé là pour un bout de temps.

Alors, dans ce wagon quasi vide et silencieux comme un caisson d'isolation sensorielle, il dragua les terrifiants abysses de sa solitude. Il n'y avait rien d'autre à faire.

Il avait traîné sur les quais de toutes les stations de la ligne. Il avait gravé ses initiales dans les toilettes de Greenwich. Il s'était assis sur les pare-chocs des voitures, dans le parking de Darien. Il avait pris un verre au bar de Cos Cob, pissé dans les buissons d'aubépines de la gare de Westport, bavardé avec des petites filles à Rowayton et Old Greenwich. Il avait traversé la partie sud-ouest de l'État en voiture. Il connaissait le port de Norwalk et celui de Cos Cob, la longue pente que la route dévale en arrivant à Norwalk et la vue qu'on a du Baxter Building quand le train entre en gare de Stamford.

Mais tout cela ne changeait rien à la situation. Sa courte vie de privilégié du comté de Fairfield n'avait aucune influence sur la tempête. Là, il était en rade. Paul Hood, adolescent en rade. Un adolescent en passe de devenir un homme. Qui aurait bientôt son permis de conduire. Un perdant dans une famille de perdants. Et il était à deux pas de Port Chester, le seul arrêt sur la ligne où l'on comptait une majorité d'habitants afro-américains.

Paul avait personnellement connu quelques Blacks. Pas à l'école primaire, mais au lycée Saxe, où on en dénombrait cinq. Ils venaient tous du centre-ville, et vivaient dans des chambres meublées au-dessus de fast-foods ou de boutiques de fripes. Les trois filles restaient presque toujours entre elles. A vrai dire, il avait beau fouiller dans sa mémoire, il ne se rappelait même plus leurs visages. Il les revoyait seulement collés les unes aux autres dans le réfectoire. En revanche, les deux garçons ne passaient pas inaperçus. Brian Harris faisait la loi au lycée. Il portait les cheveux longs, à la mode afro des Black Panthers, et rien que sa tignasse impressionnait tout le monde. C'était de plus un athlète exceptionnel, mais tous les gosses, à New Canaan, entendaient dire depuis toujours que les Noirs étaient des athlètes exceptionnels. Le père de Paul n'avait pas fait exception et avait inculqué cette idée reçue à son fils. N'empêche... Au basket, Brian Harris avait des trucs bien à lui que les Blancs essayaient d'imiter. Mais ils n'étaient pas de taille. Harris était un véritable dieu, à Saxe. Un super-héros. On le vénérait.

Quant à Logan Krieg, l'autre Black, c'était une autre paire de manches. Il paniquait dès qu'il entrait en classe et copiait toujours sur Paul. Il lisait avec difficulté et savait à peine écrire, du reste il avait une curieuse façon de former ses lettres. Cependant, il ne voulait pas aller dans la « classe spéciale », celle des attardés mentaux. En plus, il mentait comme il respirait, s'inventait des excuses pour ses absences ou les devoirs qu'il n'avait pas faits. Une toile de mensonges dans laquelle il finit par s'empêtrer. Et un jour, on ne l'avait plus revu. Parti de lui-même ou renvoyé? Personne ne le sut jamais. Il n'avait pas vraiment d'amis, au lycée.

Là se bornait l'expérience de Paul avec les Blacks. Il y en avait quelques-uns à St. Pete, mais, ils restaient toujours ensemble, eux aussi. C'étaient des gars intelligents, et qui se battaient pour des causes. Pour le reste, Paul s'en remettait aux reportages télé. Il se rappelait avoir regardé les infos avec son père, le soir où Angela Davis avait été acquittée. Du fond de son fauteuil, Benjamin Hood avait donné son avis d'une voix pâteuse et morne — *Saloperie de gouine communiste...*

Au bout de quarante-cinq minutes, le contrôleur refit une apparition pour tenir Paul et les autres voyageurs au courant de la situation.

— Mesdames et messieurs, je regrette, mais nous ne savons toujours pas quand le train sera en mesure de repartir. Le mieux est de rester à vos places ; nous vous tiendrons informés.

Il répéta son laïus à l'autre bout du wagon.

Les heures suivantes, au cœur de la nuit, furent longues et angoissantes. Paul aurait aimé dormir, mais le sommeil se refusait à lui. En plus, il commençait à faire sérieusement froid. Son haleine devenait blanche. Et il avait peur.

Au petit matin, une silhouette massive remonta l'allée. Paul, nerveux, n'aurait pas été surpris de reconnaître un des méchants de ses B.D. Mais ce n'était qu'un passager du wagon voisin. La cinquantaine avinée et grisonnante. Il posa son énorme carcasse sur la banquette en face de Paul.

Paul ne savait trop à quoi s'attendre. Le type pouvait aussi bien l'agresser. Ou le violer. Après ce qu'il avait fait à Libbets, il ne l'aurait pas volé...

— Tu saurais pas où sont les toilettes, jeune homme ? demanda le bonhomme.

— Sais pas. Peut-être dans l'autre wagon.

L'homme eut un rire gras.

— Sacrée nuit, hein ?

Paul acquiesça du bout des lèvres, ne tenant ni à contrarier ni à encourager le violeur. Malgré lui, pourtant, il engagea la conversation.

— Je regrette de pas avoir une lampe de poche. Et un petit chauffage de camping. Un tourne-disque, aussi, avec des 45 tours. Et un stock de B.D.

L'homme se pencha vers lui.

— Et une fille. Un peu de compagnie, c'est bien aussi, non ?

— Ce que je voudrais surtout, c'est être chez moi, répondit Paul. Au chaud.

Le type hocha la tête. Paul regarda par la fenêtre. La route était déserte. Seuls les camions de sablage circulaient encore.

— Tu vas à New Canaan, si je me trompe pas, hein ? J'ai dû rencontrer tes parents une ou deux fois. Et toi, je te connais depuis pas mal d'années, déjà.

Il lui dit son nom. William quelque chose.

— Non, dit Paul, qui guettait le retour du contrôleur. Moi, je suis de... de Stamford. Oui, c'est ça, de Stamford.

— Ah bon ? Tiens, curieux... T'es pas le fils de Ben, alors ? Tant pis. J'allais te proposer de te raccompagner, en arrivant. Mais si tu vas à Stamford... A moins que tu veuilles partager un taxi... ?

— Non, décréta Paul. Mes parents viennent me chercher.

— Parce que tu crois qu'ils t'auront attendu toute la nuit ?

— J'espère, oui.

— Je vois.

Le type se releva et Paul distingua plus nettement ses yeux cernés, son cou épais, sa peau grise et métallique. En gros plan. Car il se pencha vers lui et posa une main sur son épaule. Son haleine empestait la vinasse.

— Je suppose que t'as pas envie de discuter. Comme tu veux. Alors je te laisse.

— Hé, je...

— Si tu changes d'avis, t'as qu'à venir me trouver. Je suis dans le wagon de tête.

— D'accord.

Dès que le type eut disparu, Paul courut dans la direction opposée, aussi vite qu'il le put, réveillant certains voyageurs au passage. *Violeur*, se disait-il. *Assassin*. Il s'installa deux wagons plus loin et rabattit sa veste sur sa tête. Mais il eut beau fermer les yeux aussi fort qu'il le put, il fut incapable de repousser les images et les sons qui l'assaillaient. Des images de salauds qui jouissaient rien qu'en terrorisant les femmes, de vieux dégueulasses qui suçaient le sexe des gosses, de fumiers qui bandaient en cognant sur les homosexuels. Et puis il pensa non pas à Logan Krieg, mais à un autre gars qui copiait aussi sur lui en classe, au lycée Saxe. Skip Maundy. Maundy avait pris l'habitude de racketter Paul. Dans la mesure où celui-ci avait fait croire à ses parents que le repas du réfectoire coûtait un dollar, alors qu'il n'était en réalité qu'à soixante-quinze cents, Paul versait régulièrement la différence à Maundy. Et ce afin d'éviter la raclée qu'il lui promettait en cas de refus.

La tyrannie de Maundy ne s'arrêtait pas là. Paul devait aussi lui faire ses devoirs et l'aider pendant les compos. Maundy avait une façon de sourire, quand il lui demandait tout ça... Paul espérait apprendre qu'une terrible tragédie frappait la famille Maundy — le cancer du père, ou l'alcoolisme de la mère. Une tragédie qui aurait expliqué le comportement du fils. Qui lui aurait donné un sens. Mais personne ne lui révéla jamais rien de tel. Paul n'avait parlé à personne de la situation, il n'avait pas non plus dénoncé Maundy. Il avait subi, tout simplement.

Wendy aussi connaissait ce problème d'isolement. Il avait vu des gosses se détourner d'elle et refuser de lui parler. Il avait entendu la façon dont on la traitait dans son dos — *putain, salope*... Surtout les fils de juges et d'assistantes sociales.

Dans le noir, emmitouflé dans sa veste, Paul s'interrogea, une fois de plus, sur son origine. A quels gènes devait-il de vivre une vie pareille ?

En vérité, l'histoire de Skip Maundy avait une conclusion. Plus tard, au lycée de New Canaan, Maundy avait apparemment eu une aventure dans les toilettes avec une attardée. Une certaine Sarah Joe Holmes. D'après ce qu'on racontait, Maundy l'aurait maintenue par terre de force, et lui aurait pissé dessus en fumant une cigarette. C'était à vérifier. Quelqu'un avait peut-être inventé cette histoire pour en cacher une autre, plus horrible encore. D'un autre côté, les aléas de l'héritage génétique avaient peut-être engendré un type qui se sentait tout à fait à l'aise dans sa perversité. Paul essaya d'imaginer la scène.

Qu'est-ce que Sarah Joe avait pu éprouver, au moment où Maundy commettait son crime ? Et lui, était-il triste, après, comme Paul l'avait été ce soir ? Avait-il eu des remords ? Impossible à dire.

Cette histoire ne menait nulle part, en fin de compte. C'était juste une histoire comme ça... Quelque chose à enfermer dans le coffre cadenassé du passé.

TROISIÈME PARTIE

La glace recouvrait le paysage d'un cocon scintillant. Les toits, les buissons, la chaussée, les voitures. Les branches rompaient sous le poids de cette lourde gangue, provoquant un bruit qui claquait comme une détonation dans le silence. Ces explosions faisaient rire Mike qui errait dans la rue à une heure avancée de la nuit. Attiré par la véhémence des éléments en furie, il avait eu envie de sortir, de marcher dans la tempête.

Il s'arrêta d'abord chez Danny Spofford, en haut de Mill Road. Il s'était caché chaque fois qu'une voiture était passée près de lui. La Toyota des Conrad qu'il avait reconnue. Plus tard, une Corvette. A son arrivée, Danny n'était pas couché ; il regardait encore la télé. Ils suivirent la retransmission d'un concert de rock jusqu'à la panne d'électricité. Puis ils entamèrent une discussion.

Ils commencèrent par échanger des idées sur le sexe. C'était comment, de faire l'amour ? Qu'est-ce qu'on éprouvait, en baisant ? Au beau milieu de la conversation, Danny alla dans la cuisine chercher un pot de confiture de fraises pour simuler l'intérieur velouté de la chatte d'une femme et y enfonça un doigt qu'il lécha ensuite, déclarant que si ça ressemblait à ça, il était prêt à passer à l'acte tout de suite.

Mike, évidemment, avait plus d'expérience qu'il ne le laissait entendre. C'était un Casanova, lui. Mais étant donné que Danny n'avait rien d'un charmeur, qu'il était affublé d'un nez en pied de marmite, d'un front fuyant et d'oreilles coupe-vent, Mike ne tenait pas à l'écraser de sa supériorité. Pas tout de suite. Toutefois, alors que la nuit devenait de plus en plus froide, de plus en plus épaisse, et qu'ils s'emmitouflaient dans les couvertures que le père de Danny avait empilées sur le canapé, Mike se mit à parler de Wendy Hood.

— Cette salope ? le coupa Danny.

— Hé, ne dis pas ça. Tu ne la connais même pas.

— C'est une pute, Charles. Une gouine. Tu vas pas me dire que...

— T'as rien compris. Laisse-moi finir.

Mais Mike fut incapable de traduire par des mots la complexité de ses amours adolescentes non consommées. Il ne pouvait expliquer en quoi le fait d'avoir été pris en flagrant délit par le père de Wendy avait en quelque sorte augmenté ses sentiments pour elle. A la lueur vacillante des bougies, il se découvrait impuissant à exprimer pourquoi il pensait toujours à elle, pourquoi il écrivait ses initiales partout dans ses cahiers. Il ne trouvait pas le moyen de l'expliquer à Danny sans passer pour un con, une lope. De toute façon, l'éloquence n'avait jamais été son fort.

— Bon, laisse tomber, dit-il. Je vais faire un tour à Silver Meadow. Ça t'intéresse ?

— Nan. T'as pas plutôt envie de faire griller des saucisses sur les bougies ?

Mike savait que Danny ne viendrait pas avec lui. Son père ne tarderait sans doute pas à rentrer de chez les Halford avec une femme, et, avant de monter dans sa chambre, il passerait voir Danny. Peut-être même que la femme embrasserait Danny sur le front. C'est Danny lui-même qui lui raconta ça. Son père s'assurerait qu'il avait assez de bougies et que les piles de la lampe de poche étaient neuves. Il lui poserait une autre couverture sur les pieds et remonterait gentiment sa mèche rebelle. Parce que son père s'était battu devant les tribunaux pour obtenir la garde de son fils et qu'il avait gagné. C'était rare. Danny avait la chance d'avoir un vrai père.

Mais Mike n'avait pas à se plaindre, après tout. Son père n'était pas si mal — quand il était à la maison. En attendant, il était de nouveau dehors. Dans la tourmente. La porte des Spofford se referma derrière lui. Les craquements des arbres évoquaient les bruitages d'un train fantôme. Il songea à la panne de courant. A Silver Meadow, les infirmiers risquaient d'avoir du mal à calmer les malades, dans le noir. Les dingos sortiraient de leurs cellules capitonnées, envahiraient les couloirs et pilleraient les réserves de médicaments. Ils se serreraient les uns contre les autres pour se rassurer. Peut-être tenteraient-ils un raid sur les maisons voisines pour vider les bars et se soûler au gin, au bourbon ou à la vodka.

C'était le moment idéal pour aller faire un tour là-bas.

Il passa devant chez les Hood et franchit la barrière de Silver Meadow. C'était si simple ! Lorsqu'il arriva devant le bowling, à tout hasard, il essaya de pousser la porte. Qui s'ouvrit ! A la faible lueur des lampes de secours, il observa les deux pistes, puis chercha une boule. Aucune en vue. Alors Mike viola la règle numéro un de ce jeu : il marcha avec ses chaussures trempées et non réglementaires sur la piste. Un truc qu'il avait toujours eu envie de faire. Une fois devant les quilles, il les renversa d'un coup de pied. Puis les redressa. Les culbuta de nouveau. Recommença ainsi jusqu'à ce qu'il entende des voix. Les voix graves de l'autorité. Alors il ressortit dare-dare par où il était entré.

Il erra de bâtiment en bâtiment, fut un moment repéré par un garde de la sécurité qui l'emprisonna quelques secondes dans le faisceau de sa puissante torche, et continua ses investigations.

New Canaan était prise dans une coque glacée qui semblait restituer leur beauté aux choses qu'il voyait tous les jours sans même les remarquer. Il voyait les arbres comme il ne les avait jamais vus, découvrait la noblesse des pylônes électriques, s'émouvait devant la chaude intimité d'une bougie derrière une fenêtre. L'homme contre les éléments. Tout était redimensionné. Mike était heureux.

Au cœur de la nuit, là où l'obscurité était particulièrement dense, un érable tomba non loin de lui, entraînant dans sa chute un poteau télégraphique et des câbles électriques. Coyote des banlieues, Mike éclata de rire. Un des câbles, cassé net, se mit à siffler, et à cracher des étincelles ; serpent que l'on charme au son des flûtes, il entama une grotesque danse de Saint-Guy. Il se tordait, ondulait, et Mike n'avait aucune idée de ce qui pourrait arrêter son agonie.

Il ne s'était jamais pris pour un petit génie. Ses notes, au lycée, étaient plutôt médiocres. A vrai dire, il avait un sacré poil dans la main. La plupart du temps, pendant les compos, il s'asseyait près de Mona Henderson et s'évertuait à copier sur elle. En revanche, pour les câbles électriques, il était au courant. Sans jeu de mots. Il fit donc un large détour et, après avoir prudemment enjambé la barrière de sécurité de Silver Meadow, revint sur Valley Road. A cet instant, il se sentait animé d'une force de vie incroyable, et regrettait que Wendy ne soit pas avec lui. La rue, qui descendait vers la Silvermine, était, comme tout le reste, recouverte d'une couche de glace qu'il testa. Elle était assez épaisse. Il la nettoya sur quatre ou cinq mètres, retirant les brindilles et les cailloux qui grumelaient sa surface, puis recula de deux mètres pour prendre son élan.

Oh, la solitude de cet instant ! Après quelques longues foulées, Mike inspira une large goulée d'air froid et dévala la pente. C'était bon. Frais. Il nettoya quelques mètres de plus. Il était seul dans la nuit. A l'est, il eut l'impression de distinguer une vague clarté. La lune, à demi cachée par les nuages, illuminait par intermittence sa descente solitaire. Il ne risquait pas d'être dérangé par les voitures, car la route était désormais totalement impraticable. Mike était comme une de ces stars du hockey portées aux nues par les lycéens de New Canaan. Comme Ken Stabler, arrière de son équipe de football préférée, les Oakland Raiders. Comme Dave Wottle ou Mark Spitz, ou Tug McGraw ou O.J. Simpson. Il appartenait à présent au monde du sport.

Il remonta en haut de sa piste et, de nouveau, fit un parcours sans faute en la redescendant, bien planté sur ses pieds à l'arrivée. Les juges russes lui accordèrent une bonne note. Une foule imaginaire acclama sa performance. Il aurait la médaille d'or et irait ensuite arracher les athlètes israéliens à leur sinistre destin. Même le câble applaudit ses efforts en sifflant de plus belle. Une troisième fois il réitéra sa prestation, sa communion sauvage avec l'air, la neige et le silence.

Alors qu'il remontait pour accomplir son quatrième tour, il prit conscience de sa soudaine fatigue, du vent qui redoublait d'ardeur, des oscillations inquiétantes du câble. Il eut envie de rentrer, de retrouver son lit. Mais il était en train de bander. L'excitation de la victoire... Alors, pas question de dormir pour l'instant. Un dernier passage dans ce couloir de glace d'abord.

Mike dévala la pente encore plus vite, cette fois, ses bras battant farouchement l'air pour conserver son équilibre, mais l'arrivée fut plus problématique. Son pied buta sur une pierre, il trébucha et s'étala de tout son long. Il avait de la neige partout. Dans ses chaussures, ses chaussettes, et jusque dans le col de sa veste. Ses mains éraflées étaient rouges, à vif, quand il les porta à son visage. Merde. Il les coinça sous ses aisselles jusqu'à ce que la douleur s'apaise. Il avait bien cinq cents mètres à faire pour rentrer chez lui. Pour se faire engueuler, en plus. Sinon ce soir, demain.

Alors il décida de s'asseoir une minute sur la barrière, le genre de garde-fou métallique que l'on trouvait le long de certaines rues de New Canaan. Pour se reposer.

Or, une extrémité du câble cassé qui se dandinait gaiement quelques mètres plus bas sur Valley Road toucha cette barrière au moment où Mike Williams s'assit. Ses chaussures trempées, enfouies dans la neige, servirent de conducteur, et un puissant courant électrique le secoua violemment.

Son visage, d'abord, devint horriblement rouge, et une sorte d'écume se forma à la commissure de ses lèvres. Ses dents se mirent à s'entrechoquer. Son cœur s'arrêta. Presque instantanément. C'était un cœur jeune et fort, sans problème d'arythmie ou de thrombose, pourtant il s'arrêta. Net. Mike resta quelques secondes comme collé au garde-fou (c'est un effet de l'électricité, elle aimante), mais dès qu'il fut mort, son corps, son cadavre, plutôt, retomba en arrière en fumant légèrement. Ses mains, qui avaient touché la rambarde, étaient noires. Une faible fumée s'échappait de ses oreilles ; du sang coulait de son nez et de sa bouche. Il tomba de la barrière — le câble capricieux dansait maintenant dans une autre direction — et glissa le long de la pente, sur un ou deux mètres, jusque sous la haie délimitant la propriété de Silver Meadow. Un bout de son blouson de ski orange était visible depuis la route, mais on pouvait aisément passer sans le remarquer.

Cette scène peut être abordée sous deux angles différents. Le premier est celui du fait divers que nous venons de raconter et qui appartient à la ville de New Canaan. Le second est la perception que Mike eut de cet instant.

Après s'être relevé, Mike se sentit submergé par la fatigue ; il regrettait d'avoir quitté la maison pour errer dans les rues. Ses mains écorchées lui faisaient mal. C'était comme une punition. Il avait envie d'avoir une famille aimante, parfaite, qui le consolerait à son retour. Il s'assit parce qu'il était crevé et agrippa le garde-fou pour ne pas tomber en arrière. Il n'eut pas le moindre pressentiment. Peut-être y eut-il un bruit ou un choc quand le câble heurta la barrière, mais entre les branches qui se cassaient et les objets qui volaient un peu partout, Mike n'aurait de toute façon pas fait attention. Et il s'était habitué au sifflement. C'était le langage de la technologie moderne lâchée en pleine nature. Un langage qu'il comprenait.

Sa dernière pensée fut un simple *oh non* d'adolescent. En fait, par le biais de quelque étrange circuit céleste, il sut au moment exact de sa mort qu'il mourait. Une foule d'images lui apparurent aussitôt, un entrelacs de rêves et de souvenirs. Alors il prononça ce *oh non* à haute voix. Et sa conscience s'éleva vers d'autres sphères.

Benjamin Hood ignorait tout du triste sort de Mike Williams quand il ouvrit les yeux dans la salle de bains des Halford, peu avant le lever du jour. Il avait la gorge brûlée, napalmisée, la bouche pleine d'aphtes. Les peignes qui décoraient les murs et dont Dot faisait collection, des peignes contemporains ou anciens, de toutes tailles, de toutes sortes, en écaille, en ivoire ou en bois, semblaient vouloir l'emprisonner entre leurs griffes. Il se traîna jusqu'au lavabo, avala quelques gorgées d'eau à même le robinet. Ses joues étaient grises. Son nœud papillon avait disparu. Il se demanda si son manteau était toujours dans la chambre d'amis, et s'il y retrouverait son portefeuille.

Dans une histoire de famille moderne, il est toujours question du supplice et du démembrement du père. Ce fut avec cette sinistre certitude que Hood s'éveilla. Quelque part au milieu de la soirée, sa conscience s'était fermée; elle s'était rétrécie jusqu'à n'être plus qu'un point, comme sur l'écran de ces vieux postes de télévision quand on les éteignait. Il était incapable de se souvenir de quelle façon il était arrivé jusqu'à la salle de bains, et comment il avait fait son compte pour s'éclabousser de vomi.

Des images, presque des flashes, lui revinrent à l'esprit. Il se rappelait avoir proféré des propos assez vifs à quelques centimètres du visage de sa femme et lui avoir involontairement craché un jet de salive à la figure. Plus tard, il avait tenté de s'excuser auprès de Rob Halford à propos d'il ne savait plus quoi, et s'était retrouvé soudain tout seul. Halford l'avait simplement planté là, au beau milieu de la conversation, sans même une explication, sans la moindre considération pour sa pathétique confession. C'était caractéristique du mépris avec lequel on le traitait dans ces réceptions. Un clodo aurait sans doute eu droit à plus d'égards.

Il erra dans les pièces désertes du rez-de-chaussée. Il n'y avait plus de courant. Les pendules étaient arrêtées. Il retrouva son manteau dans la chambre d'amis, étalé sur le lit tel un corps désarticulé. Dans le salon, il récupéra ses clés au fond du saladier. Des clés que personne n'avait choisies.

Benjamin repartit plus désabusé encore qu'il ne l'était en arrivant, avec en prime l'esprit encombré de souvenirs indistincts mais désagréables.

Un paysage d'apocalypse l'attendait quand il franchit la porte. La glace et la neige formaient une couche de polystyrène qui le séparait du monde. Il se sentit isolé, acculé. Et dans le silence, il entendit le tribunal céleste énoncer les chefs d'accusation : Benjamin Hood, coupable de boire et d'ennuyer les autres. Coupable d'adultère. Coupable de laisser pourrir et se désagréger les faibles liens qui unissaient encore sa famille. On l'avait mis en quarantaine et il le méritait.

Au moins, la Firebird était toujours dans l'allée. Mais les serrures étaient gelées. Il ne manquait plus que ça ! Benjamin ne jura même pas. Pour ce genre de situation, il ne connaissait qu'un remède. Ça prenait du temps, mais du temps, il en avait à revendre. Il retourna dans la maison, fit bouillir de l'eau, la rapporta dans une tasse, y fit tremper la clé qu'il essuya aussitôt avec un torchon avant de l'insérer, bien chaude, dans la serrure. Efficacité garantie. Ensuite, il dut gratter la glace sur le pare-brise. Ces contretemps dérisoires furent somme toute les bienvenus puisqu'ils détournaient Hood de ses pensées moroses. Et des questions plus graves qu'il se posait : Où était Elena ? Qu'allaient penser ses enfants en le voyant rentrer seul à cette heure-ci ?... Il se concentra sur le pare-brise, qu'il racla avec un petit grattoir en plastique portant le nom du teinturier. Ça lui prit au moins une demi-heure.

En bas de Ferris Hill, il passa devant les voitures abandonnées le long de la route. Les conifères aux branches alourdies par la glace ressemblaient à des sentinelles pétrifiées par le froid. Il eut un choc en reconnaissant la Cadillac de Jim Williams ; elle avait basculé dans le fossé et semblait plutôt mal en point. Hood sortit de la Firebird qu'il laissa tourner au ralenti pour aller jeter un coup d'œil dans le véhicule. Il n'y avait pas de blessés. Une chance.

Quelques minutes plus tard, il atteignait l'arbre et le poteau télégraphique couchés en travers de Valley Road, juste en bas de la colline.

Il resta un instant assis sans bouger dans sa voiture. Il y avait un câble électrique cassé à quelques mètres de là, bon Dieu ! pourquoi les gars de la voirie n'étaient-ils jamais là quand on avait besoin d'eux ? Les pneus isolaient-ils suffisamment ? S'ils devaient toucher le câble, serait-il en sécurité ? Et depuis combien de temps durait-elle, cette situation ? Il hésita, ne sachant s'il devait sortir de sa Firebird ou attendre les instructions des autorités compétentes. En définitive, Benjamin Hood le maudit, le mal-aimé, décida de passer à l'action. Il téléphonerait de Silver Meadow.

Il coupa le moteur, alluma ses feux de détresse, sortit prudemment de la voiture et remonta la rue en courant sur une dizaine de mètres. Son embonpoint le faisait souffler comme un bœuf; ses poumons, envahis d'air glacé, étaient sur le point d'exploser. Quant à sa migraine, elle avait décuplé. Mais il était toujours vivant. Il enjamba la barrière et redescendit en direction de la Silvermine, avec l'intention de passer très au large du câble. C'est à ce moment-là qu'il vit le bout du blouson orange dépassant de sous la haie.

C'était un morceau de tissu accroché dans les branches. Non. C'était quelqu'un qui dormait, un ivrogne, peut-être. Un ivrogne comme lui. Non. A présent, il savait. Celui qui était là ne dormait pas. Ô mon Dieu! Hood tomba à genoux, jurant entre ses lèvres gelées.

Brusquement, il décida de fuir. D'ailleurs, il courait avant même d'en avoir pris la décision. Il remontait vers sa voiture. Les problèmes l'effrayaient. Mieux valait qu'il soit parti d'ici avant que quelqu'un ne repère sa Firebird.

Le destin sourit alors à Benjamin. Il passait une jambe par-dessus la barrière — la barrière sur laquelle s'était assis Mike —, quand il se sentit envahi par un calme inattendu. Il était triste, bien sûr, mais il sut qu'il pouvait se rendre utile. Un peu comme s'il était touché par la grâce. De toute façon, où irait-il se réfugier? Et pour quoi faire? Alors il revint sur ses pas, vers le corps.

Il prit la tête bleuie de Mike Williams entre ses mains, puis ouvrit la fermeture éclair de son blouson, déboutonna sa chemise et pressa son oreille contre son T-shirt. Rien. Aucun son. Il posa ensuite ses lèvres contre celles du cadavre, de ce garçon qu'il n'avait jamais aimé, et lui souffla dans la bouche. Il appuya ses deux mains sur le torse de Mike comme il avait vu des médecins le faire dans une série télévisée. Toujours rien. Il n'y avait pas cru, de toute façon.

Il fallait se rendre à l'évidence. Mike était bel et bien mort, et aucune méthode, même ses plus ferventes prières, ne changerait rien à la situation. Mike était mort.

Hood prit Mike dans ses bras. Il avait pour lui autant d'attention qu'il avait eu d'antipathie de son vivant.

Un soleil, pâle et froid, s'était hissé au-dessus de la crête des arbres. Dans la journée, la température ne dépasserait pas le zéro. Il y avait bien deux ou trois cents mètres pour traverser Silver Meadow jusqu'au parking, franchir la barrière, atteindre sa maison, puis un peu plus du double pour se rendre ensuite jusque chez les Williams. Benjamin décida de s'arrêter d'abord chez lui.

Cette décision, prise sous l'empire d'une sévère gueule de bois et avec un cadavre gelé de cinquante kilos dans les bras, Benjamin ne l'oublierait jamais. Il eut soudain l'impression que ce corps, cette vie trop tôt abrégée, lui appartenait.

Non qu'il eût l'intention de le garder pour lui. Il le rendrait à ses parents, bien entendu. A Janey Williams, qu'il aimait, et à son mari, auquel il se sentait désormais lié d'une tout autre façon. Mais avant tout, il allait prendre les choses en main. Il exercerait un contrôle quasi parental sur cette tragédie. Abandonnant sa voiture, il emporta le corps vers la route. Les mains de Mike frôlaient son visage. Il dut s'arrêter une minute sur un banc, pour souffler.

Les gardes de la sécurité se précipitèrent vers lui alors qu'il hissait de nouveau Mike sur son épaule. Bien qu'ils lui parussent vaguement familiers, Benjamin ignorait qu'ils connaissaient sa fille, qu'ils avaient à plusieurs reprises coursé son fils sur les pelouses de la propriété, et qu'ils avaient, pas plus tard que cette nuit, chassé Mike du bowling. Hors d'haleine, leurs uniformes et leurs bottes noirs piquetés de neige, ils se plantèrent devant lui.

— C'est votre fils ? Que s'est-il passé ?

Benjamin leur raconta son histoire d'une voix gagnée par l'émotion. Ils s'efforcèrent de le consoler. Du moins à leur manière, bourrue, peu démonstrative.

— Essayez de vous ressaisir, dit l'un d'eux.

— Est-ce que vous savez si le téléphone marche ? demanda Hood.

— On a notre radio.

— Alors appelez une ambulance. Ou la police... Enfin, ceux qui pourront venir jusqu'ici. Je crois que ce gosse... il s'appelle Mike Williams ; il habite juste en haut de la rue... Je crois qu'il a dû s'électrocuter. Il est tout... tout brûlé.

— Vous ne voulez pas nous laisser...

Hood, du menton, indiqua sa maison, à quelques dizaines de mètres du bâtiment principal de Silver Meadow.

— J'habite là. 129 Valley Road. J'y serai. Et j'attendrai...

Les gardes restaient là, tête baissée, les mains dans les poches. Quand ils se rendirent compte qu'il n'y avait rien à ajouter, ils se remirent en mouvement et coururent jusqu'à leur cabine radio.

Le trajet de Hood, de Silver Meadow jusque chez lui, fut digne des épopées des héros antiques. Ce ne fut pas aussi pénible qu'il l'avait craint. La magie n'était pas visible à l'œil nu ; il ne trouva ni dragon ni hydre à trois têtes sur son chemin. Mais elle était bien présente, la magie. Le cadre moyen, mal aimé, pleurnichant sur son sort, dans la peau duquel il s'était réveillé le matin même, s'était métamorphosé en bon Samaritain. D'un autre côté, ne sommes-nous pas tous des héros ? Le simple fait de vivre est héroïque. Parler à son conjoint, à ses enfants, le matin, avant le café, est héroïque.

Sa maison, entre-temps, avait été ravagée par la tourmente. En arrivant aux abords de la vieille demeure, il appela Elena. Le nom glissa sur la surface gelée de la pelouse pour aller se répercuter sur la Silvermine. Pas de réponse. Il appela de nouveau. Il n'eut pas plus de succès avec Wendy qu'avec Elena. La fatigue commençait à le gagner. Il emporta Mike vers le garage où le break était garé. Laissant le corps à l'extérieur, il essaya de faire démarrer le véhicule.

Le moteur toussa faiblement, puis se tut et ne voulut plus rien entendre. Benjamin traîna Mike jusqu'à la maison. Une maison qu'il ne s'attendait pas à trouver déserte. Où étaient-ils tous passés ?

Daisy fut la seule à venir l'accueillir. Sa queue tournant comme un moulinet, elle gratta aussitôt à la porte. Benjamin laissa le corps dans le couloir pour aller lui ouvrir.

— Pauvre Daisy... Ils t'ont laissée tomber, hein ? Va faire un tour, si tu veux.

Il avait à peine refermé qu'il découvrit le désastre. L'eau filtrait du plafond de la salle à manger, dégoulinait le long des murs et se répandait sur les lattes du plancher, ruisselant jusqu'au soussol. Il pleuvait dans sa maison. Une mare s'étalait au milieu de la pièce, sombre comme une tache de Rorschach.

La pièce voisine était elle aussi transformée en pataugeoire. Le ruisseau courait sur le sol en direction de la cuisine. Dans le placard, les fourrures d'Elena, les sacs de cuir, les raquettes de tennis et le reste... tout était trempé.

Revenant sur ses pas, Benjamin passa devant Mike et grimpa les marches jusqu'à l'étage. Il était prêt à parier que la fuite provenait de la salle de bains. Cependant, rien n'indiquait qu'une canalisation ait éclaté. L'eau se déversait sur le palier, filait vers la chambre de Wendy et puis, comme par enchantement, disparaissait. Elle ne pouvait pourtant pas s'évaporer. Mais Hood, dans l'immédiat, ne pouvait pas faire grand-chose. Il voulut téléphoner au plombier et fonça dans sa chambre, mais se rappela au dernier instant que la ligne était coupée. Dans la salle de bains, il essaya les robinets et la douche. Les uns et les autres n'exhalèrent qu'un léger souffle, comme s'ils rendaient leur dernier soupir.

La maison était glacée, trempée et sombre. Il ne savait plus que faire. Aller chercher ses enfants ? Peut-être que sa femme, morte de honte devant son comportement, les avait emmenés... Essayer de couper l'eau ? Continuer à inspecter les dégâts ? Prendre des dispositions pour Mike, le fils de son ancienne maîtresse ? Chaque fois qu'il passait dans le vestibule, le cadavre lui donnait l'impression d'avoir bougé.

Un aboiement étranglé troubla le silence. La chienne voulait rentrer. Elle grattait déjà à la porte.

— Daisy, dit Hood en lui ouvrant la porte, je suis dans le pétrin jusqu'au cou. Tu peux te débrouiller toute seule un petit moment ?

Dans le placard de l'entrée, il trouva une paire de

chaussures en caoutchouc qu'il enfila pour descendre au sous-sol, où se trouvaient la machine à laver et le sèche-linge. L'eau lui arrivait presque aux genoux ; elle semblait sourdre du sous-sol pour se jeter directement dans la Silvermine.

Encore heureux qu'elle ne fût pas immobile, cette eau, sinon ce n'aurait pas été une piscine mais une patinoire qu'il aurait trouvée. Il avançait en grelottant vers la machine à laver quand il posa le pied sur un patin à roulettes et trébucha en criant. A présent trempé jusqu'à la taille, il se sentait incapable de penser rationnellement. Autant renoncer tout de suite à vouloir élucider le mystère. Il se contenterait de remonter le drap qu'il apercevait sur le séchoir pour en couvrir Mikey. Il était mouillé, lui aussi, mais Hood n'avait pas le choix. Il fit demi-tour dans l'eau huileuse et remonta jusqu'au vestibule. Où il trouva Daisy qui tournait autour de Mike en remuant la queue. Elle le flairait, le léchait en poussant de petits jappements. Elle saisit enfin la manche du blouson dans sa gueule et la secoua vigoureusement.

Hood coinça le drap sous son bras pour taper dans ses mains.

— Daisy ! Merde, Daisy, fous le camp d'ici !

La chienne hésita et lécha la main de Mike une dernière fois avant de filer.

Hood posa le drap trempé sur Mike.

— Tu veux que je t'attache dehors ? lança-t-il à la chienne. Il ne manquerait plus que tu bouffes les voisins, maintenant...

Il la rattrapa dans le salon et la prit par le collier.

— Allez, viens avec moi.

Après l'avoir enfermée dans la cuisine, il se dirigea vers la bibliothèque, miraculeusement épargnée, avec une seule idée en tête : le fauteuil. Il était épuisé ; une minute de répit lui ferait du bien. Il restait une bûche à demi consumée dans la cheminée. S'il y avait une chose qu'il savait bien faire, c'était allumer un feu. Dès que les premières flammes s'élevèrent, il s'effondra dans le fauteuil.

Ce fut l'ambulance de la police qui le réveilla quelques instants plus tard. Il avait plus ou moins rêvé de Janey et de Jim Williams. Leurs visages soucieux, leurs mouvements raides, leurs supplications avaient jeté une ombre sur son sommeil déjà agité. L'ambulance n'avait pas de gyrophare, pas de sirène, et les infirmiers frappèrent à la porte comme s'il n'y avait pas la moindre urgence. Hood s'extirpa avec difficulté de son fauteuil. Les coups répétés résonnaient dans le silence, presque menaçants. Daisy aboyait dans la cuisine.

— Il paraît qu'il y a quelqu'un de brûlé, ici ? demanda l'infirmier quand Benjamin lui eut ouvert.

Deux hommes se tenaient derrière lui, des valises sous les yeux, les traits tirés. L'un d'eux se grattait la tête sous son bonnet de ski.

— C'est lui, dit Hood en indiquant Mike du menton.

— Il est... ?

— Oui.

L'infirmier s'agenouilla devant le cadavre. Les autres retournèrent à l'ambulance pour prendre une civière.

— Tu vas prendre froid, mon gars ! ironisa lugubrement le type en retirant le drap.

Il pressa la main contre le cou de Mike.

— Qu'est-ce que c'est que cette histoire de feu ?

Ce gars-là n'a pas de traces de brûlures. Et pourquoi est-ce que le drap est mouillé ?

— Eh bien, le...

— Vous aviez peur qu'il ait trop chaud ?

— Non, je...

— Où l'avez-vous trouvé ? C'est quelqu'un de votre famille ?

Dès que Hood put en placer une, il fit un résumé des événements.

— Comment sont les routes, là-haut ? demanda l'infirmier.

— Il y a un câble électrique cassé par terre. Ma voiture est...

— Et ce gars-là était loin du câble ? A quelle heure l'avez-vous découvert ? Pourquoi vous ne l'avez pas laissé à l'hôpital psychiatrique, au fait ?

Pendant ce feu roulant de questions, l'infirmier avait ouvert le blouson et la chemise de Mike et cherchait la confirmation de ses hypothèses sur le corps. Quand ses deux collègues eurent posé la civière devant la porte, il se retourna vers eux.

— Électrocution, les gars.

— Tu veux qu'on prépare le...

— Inutile. Il est raide depuis au moins deux heures.

Ils rejetèrent le drap trempé par terre et le remplacèrent par un linge sec avant de sangler le corps sur la civière qu'ils enfournèrent dans l'ambulance.

— Vous allez à l'hôpital de Norwalk ? demanda Hood. Avant que vous y alliez, on devrait passer chez lui. Ou au moins déposez-moi. Il faut absolument que quelqu'un prévienne sa famille. C'est juste en haut de la rue. Le téléphone est coupé et ma voiture... Vous croyez que c'est possible ?

L'infirmier ne répondit pas.

— Ce sont mes voisins. Ce garçon est le fils de mes voisins. Mes gosses étaient ses amis. Ma fille sortait régulièrement avec lui.

La voix de Hood était devenue plus assurée à mesure qu'il parlait.

— Vous avez peut-être un fils. Mettez-vous à la place des parents...

L'infirmier baissa la tête en se mordant la lèvre. Il garda le silence, mais précéda Hood jusqu'à l'ambulance et lui ouvrit la porte arrière. Benjamin s'installa à côté du corps. Il avait froid, avec son pantalon mouillé, ses chaussures en caoutchouc, sa veste de la veille. La radio de l'ambulance diffusait les informations. La température baisserait encore dans l'après-midi. Les forces des Nations unies patrouillaient dans les territoires minés entre les armées israélienne et égyptienne. Le film de Hall Bartlett, *Jonathan Livingston le goéland*, divisait les critiques. Effroyables meurtres en Californie : Walter et Joanne Parkin, ainsi que leurs enfants, la baby-sitter, le petit ami de la baby-sitter et ses parents avaient tous été assassinés par un vagabond du Bronx, Dennis Guzman, et son complice Archie Stealing. Californie encore : le directeur d'une école d'Oakland avait été exécuté par une organisation terroriste inconnue.

— Par où peut-on passer ? demanda le conducteur.

Hood l'ignorait. Alors ils procédèrent à l'aveuglette. En faisant un grand détour pour éviter le câble. L'ambulance, dont la sirène trouait le silence glacé, remonta par Silvermine Road jusqu'à Canoe Hill, redescendit Ridge Road pour atteindre Rose Brook, puis retour sur Canoe Hill où ils faillirent déraper, crochet par la route 123 vers Wilton pour enfin tomber sur Valley Road. Ils passèrent devant les voitures abandonnées, les BMW, les Volvo et les

Volkswagen, constatèrent les dégâts occasionnés partout par la tempête.

Plus le circuit se rallongeait, plus Hood sentait son ventre se crisper. Il était crevé, sa vie avait changé, et une pénible discussion l'attendait.

Quoique les chansons d'amour que Wendy fredonnait dans son semi-sommeil fussent incohérentes, mélangeant Aphrodite et Pénélope, l'amour courtois du XIIe siècle et l'amour de Dieu, l'amour de la nature et le fétichisme, l'amour parental et l'amour préconjugal, elle savait, alors que le soleil pâle entrait dans la chambre d'amis des Williams, que la maison de l'amour était celle qu'elle habitait. Ses nombreuses fenêtres, ses pignons, ses lucarnes et ses consoles lui appartenaient. Tout comme ses gouttières affaissées, son toit qui gouttait, ses escaliers secrets. L'amour était quelque chose de doux, de tendre, et en même temps une force capable de tout détruire sur son passage. Trop tard pour faire marche arrière, à présent, elle savait qu'elle était amoureuse. Elle lui appartenait. *Sandy, je suis une fille bien, je ferai une épouse formidable.* Les moments qu'ils partageraient seraient aussi précieux que rares. *Appelle-moi quand tu veux, baby, je serai là. Où que tu sois, je répondrai...*

Hé, mais... une minute. La chambre d'amis ? Wendy ouvrit de nouveau les yeux. Son haleine était blanche. Celle de Sandy aussi. Elle était donc encore chez les Williams ? Sans hésitation, elle bondit hors du lit. Le sol était glacé. Elle sauta d'un pied sur l'autre. En plus, il n'y avait plus d'électricité. Et le jour était levé. Elle ne pourrait plus sortir de la pièce sans tomber sur les parents de Sandy, ou sur Mike. Pas moyen de faire autrement. Mais qu'est-ce que ça faisait, après tout... Elle aimait Sandy. Et elle avait envie de graver son nom sur sa poitrine en lettres indélébiles. Et de porter son enfant, de l'initier à la marijuana, de voir pousser sa première moustache.

Elle le réveilla sans ménagement, rien que pour voir son expression.

— Sandy !

Il ouvrit les yeux immédiatement. Et aussitôt son visage se crispa. Les remords. La panique. A moitié endormi, il s'assit en se grattant la tête.

— Oh, flûte... Qu'est-ce qu'on va faire ?

Wendy éclata de rire.

Elle ramassa ses vêtements, y compris le porte-jarretelles souillé découvert dans le placard de Mike qu'elle cacha aux yeux de Sandy en le fourrant dans son fuseau.

— Il faut que je retourne dans ma chambre, dit-il. Et il faut que tu trouves le moyen de te tirer.

— Y a pas le feu.

— Chut ! Parle pas si fort !

— Je ne parle pas fort, tu es vraiment parano. Et puis, qu'est-ce que ça peut faire ?

Sandy, debout, cherchait des traces sur les draps. Il n'y en avait aucune, et pour cause, mais il chercha tout de même. Il refit ensuite le lit. Méticuleusement.

Wendy avait une tout autre vision des choses. Là, dans cet espace clos, aux premières lueurs de la matinée, ils étaient en sécurité. Le monde extérieur ne pouvait les atteindre. A un moment, la porte s'ouvrirait. Fatalement. Mais pour l'instant, rien ne les empêchait de voyager dans le train de l'amour.

Ses vêtements coincés sous son bras, elle se dirigea pourtant vers la porte. L'air froid frôlait ses seins menus d'adolescente.

— Le réveil s'est arrêté, dit Sandy derrière elle.

La joie l'avait transformée, elle marchait sur un nuage. Dans le couloir, elle remonta vers la chambre de Sandy, où Joe se balançait toujours au bout de sa corde. Elle commença à chanter, à fredonner des chansons de Led Zeppelin.

L'apparition de sa mère à cet instant fut tout à fait inattendue. Wendy poussa même un cri en la voyant surgir, toute fripée dans ses vêtements de la veille. C'était comme si sa mère avait appris des secrets de sorcière, l'invisibilité par exemple, et que, grâce à ces sortilèges, elle avait pu surveiller les moindres faits et gestes de sa fille. Plus tard, Wendy se repasserait cette séquence en boucle, encore et encore, se demandant si les choses auraient pris une tournure différente si elle n'était pas sortie de la chambre d'amis.

— Rhabille-toi tout de suite, dit sa mère.

Du coin de l'œil, Wendy put voir la porte de la chambre d'amis se refermer d'un demi-centimètre et sentit l'angoisse qui se manifestait derrière. Toutefois, elle se ressaisit assez vite; elle était prête à affronter la situation. Maussade et languide, elle laissa tomber ses vêtements sur le lit de Sandy et croisa les bras. Elle avait la chair de poule. Sa mère entra dans la chambre.

— Qu'est-ce que tu fais ici? demanda Wendy.

— En quoi est-ce que ça te regarde? rétorqua Elena. Je pourrais te poser la même question, d'ailleurs. Et moi, j'en ai le droit. Tu as passé toute la nuit ici? Qui t'a donné la permission de le faire? Et où, exactement, as-tu passé la nuit? Où, dans cette maison?

Tandis que sa fille s'habillait, Elena inspecta la chambre du regard, sans s'attarder sur le pendu. Puis, depuis le seuil, elle aperçut la chambre d'amis et comprit. Aussitôt elle appela Jim, et poussa la porte derrière laquelle se tenait le plus jeune des fils Williams.

— Qu'est-ce que vous avez fabriqué, tous les deux, là-dedans ? Oh, flûte, Jim...

A l'aide de sa puissante torche, aussi longue que son bras, Jim Williams examina la chambre avec Elena, à la recherche d'indices permettant de révéler toute l'histoire. Ils rouvrirent le lit que Sandy avait pris tant de peine à faire ; ils retournèrent les oreillers. On aurait dit des archéologues fouillant le sable pour trouver des fragments de poteries précolombiennes. Finalement, ils retirèrent les draps et passèrent le matelas au peigne fin. Ensuite, Elena s'intéressa à la bouteille de vodka vide. Wendy et Sandy, coupables, attendaient derrière eux. L'heure du châtiment ne tarderait pas à sonner.

— Vous avez bu ça, tous les deux ? demanda Williams à son fils alors qu'Elena brandissait la bouteille. Tu te rends compte de ce que ça peut provoquer ? Tu as déjà entendu parler des crises éthyliques ? Tu saurais quoi faire si quelqu'un en faisait une devant toi ? Est-ce que tu peux seulement imaginer à quoi ça ressemble, de voir quelqu'un crever sous tes yeux ?

Elena entraîna Wendy dans le couloir pour lui passer le même savon. Elle avait vu tant de gens dans sa famille détruits par l'alcool qu'elle ne supporterait pas que sa propre fille suive le même chemin. C'était trop douloureux. Et parce que ce genre de chose était héréditaire, elle ou Paul pourraient aisément... Oh, si seulement tu avais pu connaître ta grand-mère... Et ton oncle, en constante dépression à cause de ses échecs répétés. Quelle souffrance... Et regarde ton père... Sans parler des maladies mentales et de la mort. La mort, Wendy.

— Tu m'écoutes ?

— Je ne fais que ça, maman.

L'acte suivant de la justice parentale, la punition corporelle, se profilait déjà derrière le sermon. Wendy avait la sensation que le châtiment serait exemplaire. Hors norme. Encore qu'elle ne comprît pas vraiment pourquoi. Il y avait là-dessous une histoire d'adultes qui lui échappait. Où était la mère de Sandy, par exemple ? Et son père à elle ? Docilement, elle se laissa conduire au rez-de-chaussée comme un mouton qu'on mène à l'abattoir.

La fessée était un rite que l'on célébrait régulièrement chez les Hood. La première que Wendy avait reçue restait gravée dans sa mémoire, bien que la faute qui l'avait motivée se fût depuis longtemps perdue dans les confins de son inconscient. Son père l'avait emmenée dans la grande chambre qu'il partageait avec sa mère. Laquelle assistait en silence à la scène. Comme Wendy refusait de baisser sa culotte, son père l'avait insultée, la traitant de *salope*, de *petite pute*, jusqu'à ce qu'elle s'exécute. Elle s'était donc déculottée de son plein gré ; son père l'avait alors mise en travers de ses genoux avant de prendre la brosse à cheveux que sa mère lui tendait. Après avoir contemplé un instant les innocentes rondeurs de sa fille, il les avait frappées du dos de la brosse. Ce fut la première de la longue série de fessées qui jalonna sa vie de débauches infantiles.

Elle avait donc une petite idée de ce qui l'attendait en suivant sa mère dans le salon des Williams.

Les pleurs de Sandy lui parvenaient clairement, en même temps que le monologue de son père dont le ton montait de plus en plus. Les mots mis bout à bout ressemblaient à un mantra. Ou à une formule cabalistique. Elena tenait fermement le poignet de sa fille.

Un ordre impeccable régnait dans le salon où elle lui ordonna de baisser son pantalon. Wendy aurait subi sans piper ce traitement abusif, qui lui paraissait inévitable et presque naturel, parce qu'elle avait autre chose en tête. Depuis vingt-quatre heures, les événements s'étaient précipités. Mais elle se rappela le porte-jarretelles coincé dans la ceinture de son fuseau, et c'était là un secret qu'elle n'était prête à partager avec personne. Elle refusa.

— J'ai dit, baisse ton pantalon, répéta Elena.

— Je suis trop vieille pour ça. Qu'est-ce que tu crois, m'man ? Que tu peux me coller une fessée devant les copains ? Tu veux le faire à la sortie du lycée, pendant que tu y es ?

— Il est hors de question que je discute, Wendy.

— Pourquoi ? Qu'est-ce que tu veux faire, exactement ? Me baiser ?

Ce fut la fin de la conversation. Elena saisit sa fille à bras-le-corps pour l'entraîner. Wendy bascula, et la pièce avec elle. Elle se mit soudain à hurler, à pleurer. La force de sa mère était décuplée, et elle, avec son corps fluet, ne pouvait résister.

Dans la salle de bains, Elena étouffa les cris de Wendy en lui posant une main sur la bouche. Puis, saisissant un bout de savonnette à la lavande sur le lavabo, elle le passa sous l'eau en le frottant légèrement avant de l'enfoncer de force, mousseux, dans la bouche de sa fille. Wendy eut beau la supplier, ses cris étouffés n'eurent aucun effet sur sa mère qui, une fois son forfait accompli, lui ferma de nouveau la bouche de force.

Wendy aurait pu, aurait *dû* frapper sa mère. Elle aurait dû, d'un bon coup de poing, faire sauter ses dents blanches bien rangées, ses dents toujours barbouillées de rouge, comme maintenant, et regarder le sang couler entre ses lèvres. Elle aurait dû, mais elle ne le fit pas. Quelque part dans un coin secret de son cœur, elle acceptait la torture. Peut-être avait-elle le pressentiment de ce qui suivrait. Aussi accepta-t-elle son humiliation, ainsi que le goût brûlant dans sa bouche et dans sa gorge. Elle se sentit faible, tout à coup, comme si ses muscles ne répondaient plus. Enfin sa mère la relâcha. Wendy eut plusieurs haut-le-cœur, et sanglota en crachant le petit bout de savonnette violette sur le tapis de bain.

— On va aller déjeuner, dit Elena d'une voix glacée.

Wendy s'effondra par terre.

— Lève-toi, Wendy.

Elle refusa de bouger.

— Ramasse le savon et lève-toi.

Pas de réaction.

Cette fois, quand sa mère la souleva, Wendy sut qu'elle en était à peine capable. Sa force surhumaine l'avait désertée. Wendy gagnerait au bout du compte, tout simplement parce qu'elle lui survivrait. C'est en cela que la famille était un vaste bluff, une succession de prises de pouvoir futiles.

Une fois dans la cuisine, cependant, l'une et l'autre se ressaisirent. C'était un peu la cuisine de la dernière chance, un endroit où elles pouvaient partager une sorte de complicité féminine. Sans se concerter, elles entreprirent de préparer le café et les toasts pour les hommes. Pour eux, mais aussi pour elles-mêmes. Wendy et sa mère pourraient peut-être, grâce à l'alchimie du petit déjeuner, redonner un semblant de normalité à la situation.

Wendy évoluait comme un spectre dans la pièce. Sans parler. Les yeux rouges et gonflés. Par chance, les Williams avaient une cuisinière à gaz; Elena put mettre l'eau à chauffer. Sans un mot, elle fit signe à Wendy de sortir les tasses. Puis, dans la pièce voisine, Wendy trouva des vieux *New York Times* qu'elle chiffonna dans la cheminée avant d'y empiler du petit bois. Le bruit des activités domestiques de sa mère la rassurait. Elle attrapa une boîte d'allumettes, de celles qui s'allument n'importe où, et en frotta une sur sa chaussure, comme Mike le lui avait montré une fois. Puis elle plaça une bûche sur le feu.

Sandy et son père les rejoignirent; tous deux s'inquiétaient manifestement pour Mike. Les flammes manquaient de vigueur, et ils s'accroupirent à côté de Wendy pour lui donner un coup de main. A l'aide du tisonnier, Jim Williams retourna la bûche. Sandy souffla sur le petit bois.

— Wendy, demanda calmement M. Williams, tu n'as pas vu Mike, hier soir, n'est-ce pas ?

Elle lui expliqua qu'elle était restée à la maison à regarder le film sur la femme enterrée vivante. Et que quand elle était arrivée chez eux, Mike était déjà parti. Les mots, en sortant de sa bouche, la blessaient. Ils avaient un goût de détergent.

— Sandy m'a dit qu'il était peut-être allé à Silver Meadow, mais j'aurais dû le croiser en venant ici. A moins qu'il n'ait pris un autre chemin.

— Je crois qu'il voulait passer voir Danny Spofford, dit Sandy.

Jim Williams posa une main sur la tête de son fils, l'autre sur celle de Wendy.

— Je vous laisse deux minutes tout seuls, mais je vous ai à l'œil, espèces de petits monstres, dit-il en se levant. Vous ne bougez pas pendant que je passe un coup de fil, d'accord ?

Il souriait en décrochant le téléphone près du piano. Mais il raccrocha aussitôt, contrarié. La ligne était coupée. Il retrouva Elena dans la cuisine, et Wendy les entendit discuter.

— Vous croyez que Janey a pu partir à sa recherche ?

— Ne vous inquiétez pas, Jim. Il est sûrement chez nous en train de déjeuner avec Ben.

— Le téléphone ne marche pas.

— Franchement, je ne pense pas que ça vaille la peine de vous tourmenter.

Le silence retomba un instant sur la maison. Le feu commençait à crépiter dans l'âtre.

Soudain M. Williams réapparut sur le seuil.

— O.K., vous deux. Venez par ici. Il est temps qu'on ait une petite discussion, tous les quatre.

Wendy et Sandy se sentaient bien, ensemble. Ils avaient chaud, près du feu. Ils ne parlaient pas. Ils ne cherchaient même pas la connivence de l'autre. Ils ignoraient ce qui s'était passé avec la vodka pendant la nuit, ne savaient trop comment ils en étaient arrivés là, mais Wendy avait désormais le sentiment de partager quelque chose d'important avec Sandy. Il lui tendit le soufflet et elle envoya une petite bouffée d'air sur les flammes. Prenant le tisonnier, Sandy donna un coup sauvage sur la bûche. Une gerbe d'étincelles bleues et vertes jaillit du bois. Wendy toussa, essaya d'avaler sa salive. Elle avait la sensation que le savon avait pénétré tout son organisme. Il coulait dans ses veines, moussait dans ses intestins.

Tous deux entrèrent dans la cuisine où Elena étalait des tranches de bacon dans la poêle, cassait des œufs dans un petit saladier, cherchait son épice miracle, le paprika. Son air absorbé donnait le change à ceux qui la connaissaient mal, mais Wendy n'était pas dupe de son regard. Un regard terne dont elle comprenait clairement le sens, mais auquel les Williams demeuraient insensibles.

Jim Williams et Elena manifestaient à l'égard l'un de l'autre une sorte de respect. La gravité de la situation les avait pour le moment rapprochés, et le résultat de cette entente éphémère serait à n'en pas douter un sermon commun.

M. Williams indiqua la table du doigt. Sandy et Wendy s'assirent.

— Bien. Alors...

Il restait debout, les bras croisés.

— Ce dont nous avons à parler n'est pas facile à exprimer, mais à mon avis nous n'avons pas le choix. Il s'agit de vous expliquer pourquoi ta mère, Wendy, est ici ce matin, et non pas chez toi... Eh bien tout simplement parce qu'elle a passé la nuit avec moi. C'est, euh... la première chose que nous devions vous dire. D'accord, la raison initiale de sa présence ici est la panne d'électricité et le fait que nous ayons dû abandonner la voiture dans un fossé en bas de Ferris Hill, mais il ne serait pas honnête de vous cacher que nous avons dormi ensemble... sur le waterbed. Il faut que ce soit clair entre nous, les enfants. Quelquefois, quand les personnes sont mariées depuis longtemps, il arrive qu'elles se lassent l'une de l'autre. Il arrive qu'un couple — que ce soit ta mère et moi, Sandy, ou Benjamin et Elena — ait envie, à un moment donné, de redonner un peu de sel à son mariage, si je peux dire. Et parfois, ils sont attirés... ailleurs. Bon, ce n'est pas si compliqué que ça en a l'air. C'est un peu comme pour les sandwichs ; un jour on a envie d'y mettre de la moutarde, et la semaine d'après on préfère le ketchup. Voilà. C'est aussi simple que ça. Quand on vit ensemble depuis dix ans ou plus, ce n'est pas évident d'avoir pour l'autre la même attirance qu'au tout début. Il arrive parfois qu'on ne se supporte plus. Ou alors on s'aime, mais cet amour, même s'il est plus fort, s'exprime d'une manière différente. Et la société nous apprend maintenant que ce n'est pas forcément mal de... de vouloir apporter un peu de fantaisie dans une relation maritale. C'est une chose qui se fait. Certains trouvent ça choquant, mais il n'y a rien de mal. Ta mère et moi, et sans doute M. et Mme Hood aussi, avons grandi à une époque où violer les vœux formulés à l'église était considéré comme un péché. Nos parents, et les parents de nos parents, ont mal vécu ces interdictions. Ils se disputaient, faisaient chambre à part et négligeaient leurs enfants — c'est-à-dire nous ! —, et tout ça parce qu'on leur interdisait d'exprimer leurs désirs.

L'odeur des œufs au bacon d'Elena emplissait à présent la cuisine, évoquant une harmonie qui était loin de régner. M. Williams devenait de plus en plus nerveux à mesure qu'il exposait son raisonnement. Wendy avait toujours l'impression de mâcher sa savonnette ; elle gardait la tête baissée.

— Or, maintenant, nous pouvons le faire si nous le souhaitons, continua-t-il. Nous avons le droit de faire quelques entorses au contrat de mariage. Rien ne nous empêche de passer une nuit avec quelqu'un d'autre, sans pour autant... mettre nos familles en danger. Un peu comme on appelle un ami pour partager quelque chose avec lui. C'est ça, partager. Et c'est là que je veux en venir avec vous, les enfants. Vous vous réveillerez peut-être un matin, un matin où il fait très beau, et vous découvrirez que votre mère n'est pas là et, à sa place, vous trouverez... disons, une amie à elle. La voiture ne sera pas là non plus, et vous vous direz qu'il y a peut-être eu un accident. Mais je veux que tu comprennes, Sandy...

M. Williams s'était assis sur sa chaise et, accoudé sur son set de table, il se penchait vers son fils pour le regarder droit dans les yeux.

— ... que ceci n'aura jamais aucune conséquence fâcheuse sur notre famille. Je suis ici, dans cette maison. Et j'y serai toujours. Ta mère et moi, nous ne naviguons pas toujours en eau calme, mais nous sommes encore ensemble. Et nous voulons le rester, pour vous, les enfants, et pour nous entraider.

« Ta mère... reprit-il après une forte inspiration, ta mère a quitté la réception avec quelqu'un d'autre. Tu vois, je suis honnête. C'est important pour moi d'être franc avec toi. O.K. ? Elle a profité de cette occasion de la même façon qu'Elena et moi. Elle a peut-être passé un bon moment, peut-être pas, nous n'en savons rien. Nous en saurons plus quand elle rentrera. Pour l'instant, le téléphone est coupé, il n'y a plus d'électricité et les routes sont dangereuses. C'est pourquoi elle n'est pas encore là. Mais dès qu'elle reviendra, et dès que Mike sera là aussi, nous aurons une longue discussion ensemble, Sandy. Et sans doute toi aussi, Wendy, avec ton père.

Elena s'assit à côté de Wendy et fit passer les assiettes. Wendy regarda ses œufs et en porta un morceau à sa bouche. Il avait un goût de savonnette. Sandy mangeait mécaniquement, sans appétit.

— L'autre chose dont nous devons discuter, reprit Jim, est le fait que vous ayez dormi dans le même lit cette nuit. Bon, je suppose que vous êtes trop grands pour que je vous raconte l'histoire de la petite graine…

Il s'esclaffa. Un rire retentissant, mais qui sonnait faux.

— Je veux dire, je n'ai sûrement pas besoin de vous faire de dessin pour vous expliquer ce qu'est une relation sexuelle. En revanche, je tiens à préciser qu'il s'agit de quelque chose qui n'est pas à prendre à la légère. Je ne suis pas certain que tu sois prêt pour ça, Sandy. Quand tu auras un peu de poil au menton, on pourra avoir une vraie conversation, entre hommes, à ce sujet. Je t'apprendrai à être responsable dans ce genre de situation, mais jusque-là, tous les deux, vous n'avez pas l'âge, et vous devriez donc vous contenter de jeux moins… risqués. Parce que, imaginez que votre batifolage de cette nuit ait des conséquences. Imagine, Sandy, que tu sois capable de procréer, et que Wendy se retrouve enceinte. Tu serais dans de très sales draps, crois-moi. Tu n'as que treize ans et Wendy a quoi ? Treize ans aussi, non ? Tu te rends compte de ce qu'elle devrait subir ? Aller au lycée en robe de grossesse, essuyer les moqueries de tout le monde… Et qui s'occuperait du bébé pendant que vous êtes à l'école ? Qui payerait les factures du médecin et de l'hôpital ? Vous croyez peut-être que c'est nous qui paierions les pots cassés ? Et qui enseignerait à cet enfant les principes de la bonne conduite, hein ? Avec vous deux comme exemple, il serait servi ! Vous n'êtes même pas capables de respecter la moralité qu'on s'efforce de vous inculquer et vous voudriez déjà avoir un gosse ? Sans compter que vous ne vous connaissez même pas, enfin pas assez... Vous ne savez pas vraiment ce que vous faites. D'ailleurs, ce que je pense, moi, c'est que vous n'en êtes pas arrivés là tout seuls. Quelqu'un vous a raconté des choses, ou alors vous avez lu des livres qui ne sont pas de votre âge. Pourquoi ne pas en parler avec nous ? Ce serait quand même mieux, non ? Apporte-le-moi, ce livre, Sandy, *Le Parrain*, celui que Mike aime bien. On étudiera ensemble les mots que tu ne comprends pas. Tu sais, savoir faire des choix est important pour les jeunes. Alors c'est ça que j'aimerais t'offrir... des choix. Jusqu'à ce que tu aies toutes les données, je ne pense pas qu'il soit recommandé de passer la nuit avec une fille. Ce n'est pas une bonne idée. Ça non. Et c'est la même chose pour les filles, évidemment. Voilà. Vous pigez, les gosses ?

Wendy regardait son assiette où les œufs refroidissaient entre les deux tranches de bacon. Apparemment, elle pouvait relever les yeux. Le danger était passé.

— Elena, vous avez quelque chose à ajouter ? demanda Jim.

Elena secoua la tête.

— Non, non. Wendy et moi continuerons cette conversation en rentrant.

Le débat était clos. Un vent de folie — une folie directement transmise à sa fille — avait poussé Elena dans le waterbed de son voisin, et opéré une véritable révolution en elle, mais il était retombé aussi vite qu'il s'était levé, la renvoyant sans ménagement à son ancienne personnalité.

C'était le problème, avec les adultes. Ils couraient après le plaisir, et une fois qu'ils le tenaient, ils le niaient et le détruisaient en le passant au crible de leurs raisonnements. Sa mère regrettait d'être là, dans cette cuisine, regrettait d'avoir préparé le petit déjeuner pour les Williams, d'avoir peut-être blessé Benjamin, même s'il l'avait bien cherché. Elle regrettait tout. C'était à ce point tangible que Wendy eut la sensation qu'elle aurait pu arracher le masque de regret qui recouvrait son visage fermé.

— Dis donc, Sandy, dit Jim Williams, ton transistor marche à piles, non ? Tu crois qu'on pourrait écouter les infos ?

Sandy acquiesça avec indifférence.

Tous deux se levèrent de concert et, avec un ensemble parfait, s'essuyèrent les lèvres avant de reposer leur serviette en papier sur leur assiette.

Dès qu'ils eurent franchi la porte, Wendy envisagea les conséquences possibles de cette nuit. Et si cet échange entre voisins échappait soudain au contrôle de chacun ? Pour commencer, Wendy allait devoir continuer à vivre dans une ville où tout le monde saurait que sa mère avait couché avec le voisin. Cette histoire circulerait de bouche à oreille comme pour sa petite aventure avec Debby Armitage. Et si on poussait le raisonnement un peu plus loin, il se pourrait très bien qu'elle devienne la demi-sœur du garçon qu'elle aimait, ainsi que de son rival, qu'elle avait à une époque aimé, lui aussi. Elle commettrait alors un inceste avec son demi-frère. Puis ses demi-frères se battraient à mort pour elle. Son père et son beau-père ne se parleraient pas. Sa mère et sa belle-mère s'ignoreraient. On lui recommanderait vivement, en compagnie de son père et de Mme Williams, de ne pas évoquer l'épisode entre sa mère et M. Williams. Ou bien elle ne verrait plus jamais Mikey et Sandy, parce que leurs parents déménageraient loin d'ici. Ou bien encore elle rentrerait à la maison et cette journée demeurerait une épouvantable parenthèse dont personne ne parlerait plus jamais, et qui laisserait des relents nauséabonds.

— On ferait mieux de se mettre en route, dit Elena. On va ranger ça et tu iras chercher tes affaires. Je vais leur emprunter des bottes.

— Parce qu'on y va à pied ?

— La voiture des Williams est restée en bas de Ferris Hill et c'est ton père qui a la Firebird.

Le silence entre la mère et la fille parut s'éterniser.

— Tu n'aimes plus papa, dit Wendy.

Elena marqua une légère pause avant de répondre.

— Non, c'est vrai.

Plus tard, Wendy réfléchirait longuement à cet instant, pour en conclure que le batteur d'Elton John, Nigel Olson, avait plus d'importance pour elle que le mariage de ses parents, et que son propre cœur s'était rétréci. Parce que, sur le moment, cette nouvelle la laissa presque indifférente. Elle avait bien retenu la leçon que ses parents lui avaient enseignée.

— Mais tu ne vas pas divorcer, n'est-ce pas ?

— Je ne sais pas encore.

— Ah, m'man...

Elles évitèrent de se regarder tandis qu'elles lavaient les assiettes à l'eau froide. Puis Wendy monta chercher son poncho et ses bottes.

Sur le palier, elle entendit Sandy et M. Williams dans la salle de bains.

Ils étaient assis sur le tapis de bain, avec un arsenal d'outils devant eux. Un filet d'eau coulait le long du carrelage au-dessus de la baignoire. Bien que la fuite n'eût rien de catastrophique, elle effrayait les Williams. Parce qu'elle ne provenait ni du robinet ni de la douche, mais du mur.

Sandy tendait un par un les outils à son père. Les pinces. La clé. Ils serrèrent des joints derrière les toilettes. Sans aucun effet sur la fuite. Derrière eux, un transistor diffusait en grésillant des nouvelles de la tempête et des dégâts qu'elle avait occasionnés dans la région.

— On s'en va, dit Wendy.

Aucun des deux Williams ne leva la tête.

— Reviens quand tu veux, dit Jim. On est toujours contents de te voir ici.

Wendy prit ses affaires dans la chambre. Joe était toujours pendu au bout de sa corde.

Toutefois, juste au moment où sa mère et elle boutonnaient leur manteau dans la cuisine, quelqu'un frappa à la porte d'entrée.

— Ouvre, Jim, appela Janey. Je n'ai pas mes clés.

Deux autres coups.

Jim sortit de la salle de bains et descendit. Préoccupé, ne sachant trop comment réagir. Sandy apparut derrière lui mais s'arrêta au milieu de l'escalier, le coude sur la rambarde, le menton dans la main.

Janey Williams avait les cheveux et les vêtements en désordre. L'esprit aussi, apparemment. Et c'était *avant* qu'elle ne voie Elena.

— Fantastique, cette journée, dit-elle en plaçant distraitement la main sur l'épaule de Wendy qui venait de lui ouvrir.

Jim lui fit signe d'entrer.

— On a un problème.

— Qu'est-ce qui est arrivé à la voiture, bon sang ? Oh, bonjour, Elena. Ravie de vous voir ici. Qu'est-ce qu'il y a ? Vous en faites, des têtes...

— Comment es-tu arrivée jusqu'ici ? demanda Jim d'un ton faussement détaché qui présageait une longue et pénible conversation.

— Maria m'a raccompagnée. On est passées par Ferris Hill, et j'ai vu la voiture. *Ma* voiture. Qu'est-ce que tu as fabriqué ?

La main de Jim se crispa sur sa clé de douze. Sandy baissa les yeux sur ses chaussures et Wendy se tourna vers sa mère qui semblait soudain intéressée par quelque chose dans le jardin. On entendait, au-dessus d'eux, l'eau goutter dans la baignoire.

— Votre Firebird aussi a l'air d'être en rade sur la route, Elena. J'espère que Benjamin n'a pas fait de mauvaise rencontre... vous voyez ce que je veux dire... S'il a dû souffler dans le ballon...

— On a eu un accident, murmura Elena.

Wendy observa sa mère qui s'efforçait de faire face à la situation. Elle avait désormais une idée relativement claire de ce qui s'était passé. Plus tard, les rumeurs se chargeraient de lui apprendre les détails. Maria Conrad était rentrée chez elle pour trouver Janey Williams en train d'initier son fils, Neil, au plaisir de la fellation. Maria revenait quant à elle de chez Stephan Earle qui, après avoir éjaculé prématurément, s'était endormi comme une masse. Wendy n'avait pas envie de penser à tout ça. Ces considérations n'étaient pas de son âge.

— Vous vous êtes bien amusés, tous les deux ? demanda Janey.

— Oh, je vous en prie, répondit Elena. Si vous voulez qu'on en discute, au moins faisons-le en privé. Inutile de déballer nos histoires devant les enfants. Ils en savent déjà assez comme ça.

— Nous leur avons expliqué, ma chérie, dit Jim.

— Vous leur avez expliqué quoi ?

— Écoute, pour l'instant, ce n'est pas le plus grave. On a quelques petits problèmes sur les bras. Il y a une fuite quelque part dans la salle de bains.

J'ai peur que les canalisations n'aient éclaté. C'est très ennuyeux. Et puis...

— Tu devrais arriver à réparer ça rapidement.

Tout comme Wendy, Sandy était paralysé par l'agressivité sous-jacente qui perçait. Alors que Janey passait près de lui, dans son ensemble de soie froissé, elle se pencha pour embrasser son fils sur le front. Puis elle éclata brusquement en sanglots. Certaines femmes, à New Canaan, étaient belles quand elles pleuraient. Leur tristesse s'extériorisait par des larmes délicates roulant sur leurs joues roses. Ce n'était pas le cas de Janey Williams. Elle toussait, suffoquait, expectorait tout ce qu'elle ne pouvait garder en elle. Et elle avait le nez rouge. La crise était trop forte pour que les mots qu'elle tentait de prononcer soient audibles. Elle préféra fuir vers sa chambre. En chemin, elle s'arrêta devant la porte de Mike et tourna la poignée.

L'alarme retentit.

Janey pesta et poussa la porte. Le lit était vide.

— Où est Mike ? demanda-t-elle.

— C'est ce que je voulais te... Il est sûrement avec Ben.

— Avec Ben ? Pourquoi serait-il là-bas ? dit-elle avec une pointe d'hystérie. Ben ne peut pas le sentir. Ne sois pas idiot. Ne me dis pas que tu n'as même pas essayé de...

— Calme-toi, Janey, tu veux ?

Jim tournait nerveusement la clé dans sa main. Mais il ne bougea pas.

A ce moment, l'ambulance s'arrêta devant la maison.

Une ambulance banale. Un vieux break rouge vif, avec un gyrophare sur le toit. Le moteur s'arrêta. La lumière aussi. Le soleil pâle se reflétait sur la carrosserie et dans le rétroviseur.

La glace recouvrait tout. La neige crissa sous les pieds de Benjamin Hood. Il trébucha, se rattrapa, franchit la distance entre l'ambulance et la maison des Williams. Son visage bouffi était rouge d'embarras et d'anxiété. Il semblait avancer au ralenti, malgré ses efforts manifestes. Ses pieds s'enfonçaient dans la neige; il contourna un parterre de fleurs givrées.

La radio allumée crachotait dans l'ambulance. Le vent s'acharnait sur les arbres saupoudrés de sucre glace. L'eau bruissait. L'odeur du feu de bois serra le cœur de Hood. Malgré les circonstances, il ne pouvait ignorer les souvenirs qui l'assaillaient. Le passé était si présent qu'il en devenait douloureux — les parties de chasse au canard avec son père en Nouvelle-Angleterre. Il n'était plus qu'à dix pas de la maison, à présent. Il ralentit encore, luttant contre le vent.

La façade blanche, coloniale. Un drapeau, une haie de buis figée dans la glace. Un garage pour deux voitures. Une lanterne style ancien. Derrière, la colline, en contrebas, la Silvermine.

Le poing de Benjamin s'abattit sur la porte.

Ce fut Janey qui ouvrit.

— Janey. Euh... Vous et Jim devriez venir dehors un instant. J'ai bien peur que... Enfin, il vaut mieux que vous sortiez. Je... Ces hommes vont vous expliquer...

L'image figée se mit en mouvement. Janey et Jim se précipitèrent dans la neige, suivis de Sandy qui posa prudemment les pieds dans les empreintes de ses parents. Elena, les bras croisés, les épaules rentrées, les talonnait sans trop savoir pourquoi. Wendy, aveuglée par le reflet du soleil sur la neige, fermait la marche. Benjamin emboîta le pas à la procession, désormais déchargé de ses responsabilités, mais angoissé parce que conscient de ce qui les attendait dans l'ambulance.

L'infirmier, appuyé contre le véhicule, s'avança à leur rencontre. Au même moment, une voiture de police ralentit et se gara dans Valley Road. Deux officiers en sortirent et, sans se presser, se dirigèrent vers eux.

— Votre voisin a trouvé le corps d'un jeune garçon près de la clinique de Silver Meadow, expliqua l'infirmier à Jim Williams. D'après lui, il y a de fortes chances pour que ce soit votre fils. Je crains que... Nous avons essayé de le ranimer, mais sans succès. Il faudrait que vous...

Le visage de Janey Williams se métamorphosa. Masque de tragédie, masque de comédie. Elle souriait, elle tremblait. Ses mains virevoltaient, s'immobilisaient. Elle pleurait, dansait, s'agitait et prononçait des mots incohérents, proférés dans une langue inconnue.

L'infirmier les laissa accuser le coup, les yeux baissés sur ses pieds, puis il chercha conseil auprès des policiers.

— Vous croyez qu'on peut leur demander d'identifier le corps ? s'enquit-il à voix basse.

— Je peux m'en occuper, si vous voulez, répondit l'un des policiers qui se dirigea vers le petit groupe pétrifié.

Il se planta devant les Williams.

— Ces hommes doivent se rendre à l'hôpital pour enregistrer officiellement le décès. Et ils devront aussi rédiger un rapport complet. Mais d'abord, j'ai besoin de vos noms et de vos coordonnées. Les renseignements habituels... Votre fils était-il absent depuis longtemps ?

Jim répondit à l'interrogatoire. Incapable de se concentrer, il fournissait des réponses contradictoires et imprécises. Benjamin répéta son histoire. Le policier, indifférent aux détails qu'il croyait bon de donner, pointa son stylo vers l'ambulance.

— Il faudrait que quelqu'un identifie le corps. Vous voulez vous en charger ? demanda-t-il à Jim.

Non. Pas question. Williams ne voulait pas regarder. Il se tourna, prêt à suggérer quelqu'un d'autre. N'importe qui. Peut-être Sandy, ou Janey. Jim ne voulait pas voir son fils mort. Ce genre de drame ne devrait être inclus dans aucune destinée paternelle. C'est au fils qu'incombe la responsabilité d'identifier son père, et non l'inverse.

Enfin Jim, en tremblant, se résigna à accomplir son devoir. Il monta à l'arrière de l'ambulance. Son cri retentit. Un long cri rauque. Ils purent aussi entendre l'infirmier lui révéler la cause probable de la mort, ainsi que les deux autres hommes qui discutaient de football. Jim ressortit de l'ambulance les jambes flageolantes, les yeux hagards.

Il essaya de parler, de transmettre une explication à sa famille, mais sa voix, de plus en plus faible, s'y refusa. Il secoua la tête, puis fut pris de tremblements incontrôlés. Elena et Janey le saisirent chacune par un bras pour le soutenir tandis que la machine administrative se mettait en route autour d'eux. Mike appartenait désormais aux statistiques.

L'infirmier redescendit.

— Il faut qu'on emmène le... le défunt à Norwalk. L'un de vous veut-il venir ? Pas tous. En fait, il serait préférable que... qu'il y en ait un seul. Il n'y a plus grand-chose que vous puissiez faire, maintenant. Il vaut mieux laisser les formalités suivre leur cours, si vous voulez mon avis.

Ben s'apprêtait à se proposer, mais son rôle, dans cette histoire, était terminé. Jim Williams s'avança de nouveau, quittant l'étreinte des deux femmes. Qui d'autre que lui pouvait y aller ? Presque malgré lui, il fit un geste incertain d'assentiment — il leva un doigt, comme s'il montait discrètement une enchère. Janey, Sandy et Elena le laissèrent partir. Il s'installa à l'arrière de l'ambulance, et l'infirmier reprit sa place derrière le volant.

Mais l'ambulance refusa de démarrer. Peut-être avaient-ils laissé la radio trop longtemps allumée. Le moteur toussa plusieurs fois, puis plus rien. Elena entendit l'infirmier jurer. Elle avait démarré sans problème, tout à l'heure. Et la batterie était presque neuve.

Ils décidèrent d'utiliser la voiture de police. Les policiers cherchèrent les câbles. Après plusieurs minutes interminables, l'ambulance accepta de repartir.

Alors que, pour la ville, leurs noms seraient désormais inséparables, les Hood et les Williams n'auraient plus jamais l'occasion d'être aussi proches. Même s'ils restaient voisins pour quelque temps encore. Peut-être leur avenir commun aurait-il été modifié si Elena avait pu prononcer les mots justes. Des mots tout simples de pardon et de regret. *Tout ce qui s'est passé, ces histoires entre nous, on oublie tout. Ça n'est jamais arrivé*. Facile, non ? Ils eussent tous été absous et libérés. Libres d'aller au-devant de leur destin. Alors pourquoi ces excuses ne vinrent-elles pas aux lèvres d'Elena ? Ou de Benjamin ? Elena savait pourtant qu'en se taisant elle se condamnait à être hantée par ces erreurs, ces errements. Alors elle fit ce qu'elle put sur le moment. Elle prit le bras de Janey et murmura des mots pitoyables. *Oh, Janey... Janey... Je suis tellement désolée. Tellement désolée*... Leur étreinte fut brève. Puis Benjamin voulut participer. Il posa une main sur l'épaule de sa femme, l'autre sur celle de Janey. Aucune des deux ne le remarqua. Il resta planté là, empoté, avant de reporter son attention sur les enfants. Wendy et Sandy leur tournaient le dos ; ils regardaient le bois qui plongeait vers la Silvermine, contemplaient les dix années à venir.

Les Hood et les Williams semblaient hypnotisés par la perspective d'un avenir foutu. Bientôt la voiture de police et l'ambulance, avec Jim Williams et son fils mort, s'éloignèrent et disparurent. Les Hood accompagnèrent Sandy et Janey chez les Steele pour qu'ils y attendent Jim, et rentrèrent chez eux à pied en file indienne.

Dans la chambre de Wendy, un vieux nounours chauve trônait sur le couvre-lit. Sur les murs : un poster de David Cassidy, un agrandissement de la pochette du disque *Dark Side of the Moon*, un symbole de la paix. Un autocollant *Nixon coupable* sur la porte. Un tourne-disque Magnavox avec le

33 tours de Neil Diamond *Hot August Night* posé dessus.

Wendy était étalée en diagonale sur le lit, le visage enfoui dans les plis de son oreiller. Elle était triste et avait peur, sentant comme une sorte de malveillance tapie dans le silence de la maison. Et Mike... Elle imaginait la mort venant le chercher, la mort chevauchant les vents riches et privilégiés du quartier résidentiel de la ville, la mort sous les traits d'une sorcière, avec ses chats, qui l'emportait en passant devant la fenêtre derrière laquelle elle, Wendy, s'amusait avec son frère. Elle imaginait Mike seul, car l'au-delà, pour lui, ne pouvait se vivre que dans la solitude ; il n'y avait personne avec lui au moment de sa mort. Un câble électrique cassé, c'est ce qu'ils prétendaient...

Elle était incapable de poursuivre une seule pensée jusqu'à sa conclusion. Allongée là, sur le lit, elle ne pouvait plus faire la distinction entre Mike et Sandy. C'était Sandy, au lieu de Mike, qu'elle voyait dans le sous-sol avec elle. Ou bien elle croyait un instant qu'elle avait passé la nuit avec Mike et que Sandy était mort. Le sexe et la mort se mélangeaient. Tout était terriblement confus. Elle ne savait pas comment se consoler. Elle voulait oublier, fuir loin de ce week-end et de ses malheurs.

Mais elle avait aussi d'autres impulsions contradictoires. Le porte-jarretelles était toujours coincé sous sa ceinture, et elle le sortit comme un médiocre prestidigitateur fait apparaître un mouchoir soyeux de sa manche d'où s'envolera un pigeon malingre. Depuis une heure, elle commençait à mythifier ce sous-vêtement. Son odeur âcre qui se mêlait à celle de son propre corps ; sa forme sensuelle et provocante ; sa soie noire.

Wendy ne put résister à l'envie de l'essayer, sans que ce fût une décision consciente. Elle se laissait porter par le courant. D'abord elle en respira l'odeur. Puis elle le serra contre elle. Elle avait lu dans une des revues pornographiques de Paul que le sperme était excellent pour les cheveux et la peau. L'odeur de la descendance perdue de Mike — de la famille qu'il aurait pu avoir — exerçait sur elle un effet puissant. Alors elle baissa la fermeture éclair de son fuseau. S'il y avait eu du courant, elle aurait mis un disque sur son Magnavox. Une musique macabre, ou des chants funèbres.

Elle accrocha le porte-jarretelles autour de ses hanches qui commençaient à s'arrondir et considéra avec horreur la façon dont il s'adaptait à ses formes. Son pantalon et son slip autour des chevilles, elle s'assit sur le lit, regarda les poils blonds et fins de son pubis qui, bientôt, se couvrirait de la toison riche et rugueuse de la féminité. Ça l'écœurait. Qu'était-il arrivé à Mike ? Que lui avait-elle fait ? D'ici quelques années, elle ne serait plus une gamine. Elle dissimulerait ses seins sous des pulls amples. Elle préserverait sa virginité. Elle refoulerait ses désirs. Mais alors même qu'elle formulait ces vœux, elle sentit poindre l'aiguillon de l'excitation. Elle remua ses hanches vêtues du porte-jarretelles de Janey Williams — elle était certaine maintenant qu'il lui appartenait — avec un sentiment de tristesse et de désir curieusement mêlés.

Soumise à ses pulsions, elle se releva et, les chevilles toujours entravées, les fesses à l'air, elle se traîna jusqu'à sa table de chevet dans le tiroir duquel elle trouva le rasoir Wilkinson double lame, celui qu'elle avait pris dans la salle de bains de ses parents.

Elle remonta les manches de son col roulé. Une

larme apparut au coin de son œil — ça faisait mal — alors qu'elle faisait glisser la lame sur son poignet. Une petite coupure d'essai, guère plus large qu'une égratignure. Aucune commune mesure avec l'entaille qu'elle méritait, qui provoquerait une fontaine de sang. Wendy serra les dents. Un peu de sueur était apparue au-dessus de ses sourcils. Soudain elle paniqua. Elle imagina la lame qui s'enfonçait jusqu'à l'os, qui séparait les muscles des nerfs ; elle se vit en train d'arracher ses propres os, de les éparpiller sur la moquette, puis elle supplia Mike de lui pardonner, mais elle ne pouvait pas aller au bout de son geste, elle était obligée d'en rester là. Elle ne pouvait vraiment pas. Pauvre Mike, pauvre spectre solitaire.

Le fuseau toujours enroulé autour des chevilles, le bras tendu comme pour quelque rite religieux, Wendy sortit sur le palier et se dirigea vers la salle de bains.

Il n'y avait plus d'eau, à cause de l'inondation, mais un seau avait été posé près de la cuvette des toilettes. Elle y plongea son poignet. L'eau glacée lui fit l'effet d'une brûlure, et prit la couleur d'un jus de groseille, comme celui que sa mère lui donnait quand elle était malade. Elle sautilla jusqu'à la porte, le rasoir toujours dans la main, et s'avança vers l'escalier.

Ils s'installaient rarement dans la bibliothèque ensemble. Ce matin-là, Elena et Benjamin y campaient à titre exceptionnel. Ils s'étaient changés, avaient mis des vêtements secs, et se réchauffaient les mains sur une tasse tiède de café soluble. Ils étaient prêts. Ils s'exprimaient à voix basse, comme des amants. Benjamin avait fermé les arrivées d'eau dans le sous-sol, il y aurait donc moins de problèmes cette nuit, quand les canalisations gèleraient de nouveau. Le feu, dans la cheminée, commençait déjà à décroître.

— Il va falloir que l'un de nous aille en ville prévenir un plombier, dit Benjamin. Je veux bien m'en charger. Tu pourras venir, si tu veux. En fait, on a tous besoin de sortir, de se changer les idées. Du moins si la Firebird accepte de démarrer. Le break n'a rien voulu savoir... Écoute, ma chérie, je comprends que tu sois perturbée. Je le suis aussi, crois-moi. Mais ce serait préférable si on en parlait avec honnêteté, sans faux-fuyants. C'est tout ce que je demande. Je suis sincère...

Elena chuchota une réponse inaudible, comme pour elle-même.

— Personne ne sait quand il est mort, poursuivit Benjamin. Il a pu mourir sur le coup, ou bien il s'est évanoui et il est mort de froid. Personne ne saura jamais. Ils vont nous sortir des théories scientifiques fumeuses, mais ça ne le ramènera pas. Et ce n'est pas parce que tu te reproches d'avoir fait ce que tu faisais à ce moment-là que ça changera quelque chose.

Ils burent une gorgée.

— Si je comprends bien, tu as la conscience tranquille, dit Elena. Où étais-tu, d'abord ? Où as-tu passé la nuit pour te sentir aussi irréprochable ?

— Pourquoi ce ton agressif? Je ne t'accuse de rien. Je ne te juge pas...

— C'est très magnanime de ta part...

— Si ça peut te faire plaisir, j'étais sur le carrelage de la salle de bains des Halford. J'ai dormi sur ce foutu carrelage. Et j'ai beau savoir que tu as passé une partie de la nuit sur le waterbed des Williams, je ne te condamne pas, même si ça ne me...

— Et tu crois que ça me fait plaisir, à moi? le

coupa-t-elle. Je ne vois pas ce qu'il y a de nouveau là-dedans. J'en ai assez, de tes ivrogneries. Des taches de dégueulis, il y en a dans toute la maison!

— Je sais, je sais... Et je me suis déjà excusé des centaines de fois. Je vais...

— Les excuses, ça ne sert à rien, Ben. Il va falloir que tu...

— Bon, alors qu'est-ce que tu attends de moi? On a passé un contrat, tous les deux, tu te rappelles? On s'est juré fidélité et plein d'autres choses, et je voudrais bien qu'on essaie de le respecter...

— Dans les bras de quelqu'un d'autre? C'est comme ça que tu...

— J'essaie de réparer les dégâts. Tu n'as rien arrangé non plus en... Bon, écoute, je suis bouleversé par ce qui est arrivé à Mike. Je n'ai pas envie de... Je ne vais pas... Même si les garçons de Jim étaient toujours dehors à des heures indues, il a sûrement fait de son mieux avec eux. Je suis bien placé pour savoir que c'est dur d'élever des gosses...

— Parce que ce n'est pas le cas des nôtres? Où crois-tu que Wendy...

— Laisse-moi parler, chérie, tu veux? Laisse-moi finir... Une chose horrible comme ça... et n'oublie pas que c'est moi qui ai découvert le corps de Mike. Je l'ai trouvé...

Il secoua la tête en grimaçant.

— Je lui ai fait... comment dit-on, déjà? Du bouche-à-bouche. Je lui ai soufflé de l'air dans les poumons. Et même si je l'ai toujours traité de petit merdeux, sur le moment, je t'assure, ça ne comptait pas. Ce que je veux dire, c'est que la famille, c'est sacré. Même si on a des problèmes passagers, des problèmes avec les gosses, des problèmes au boulot, tout peut encore s'arranger.

— Des problèmes au boulot ? C'est nouveau, ça...

— Oui, c'est... enfin, tu vois. Ça ne va pas très fort, quoi, tu t'en doutes.

— Je ne vois pas pourquoi je m'en douterais. Tu ne m'en as jamais parlé.

— C'est seulement que... Je ne sais plus trop où est ma place, dans la compagnie. J'ai besoin de... Mais arrête de me regarder comme ça, à la fin ! Ne m'oblige pas à crier. Je ne veux pas que Wendy soit mêlée à nos histoires. Ce que j'essaie de dire, Elena, c'est que ces ennuis, au boulot, qui sont plus sérieux que je ne voudrais l'admettre... eh bien, ça me fait penser qu'il est grand temps de prendre un nouveau départ.

— Oh, Ben, je t'en prie... Et d'abord, qu'est-ce qui te fait croire que j'en ai envie ?

— Parce que tu imagines peut-être que tu n'y es pour rien ? Oh, mais si ! Parlons un peu des problèmes que *toi* tu amènes dans cette maison. Tu es très renfermée, Elena. Renfermée et difficile à vivre, et pour quelqu'un qui a toujours fait grand cas des études des psychiatres et des psychologues, et de toutes ces conneries de développement personnel, tu n'as pas l'air très concernée par ce qui se passe ici, sous ton propre toit, ni par la décision que tu as prise il y a dix-sept ans, pas plus que par celui qui a pris cette décision avec toi.

— Le choix n'a pas été aussi simple que ça, tu sais. Tu ne peux pas comprendre. Je n'ai aucune compétence, et je n'ai jamais travaillé. Je me suis réveillée un beau jour en train de donner le sein à un gosse. Alors qu'est-ce que je suis censée faire ?

Benjamin se leva pour attiser le feu.

— Qu'est-ce que tu essaies de dire, au juste ? Que tu regrettes tout ce qui est arrivé ?

— Ce n'est pas ça... Je dis que tu ne vois qu'un aspect du problème. Il y a d'autres...

— C'est le climat social qui t'a contrainte à te marier, c'est ça ? Carl Rogers, ou Carl Jung, ou quelqu'un dans ce goût-là a dit que les femmes des années 50 ont été forcées de se marier. Et malgré ça, c'est moi qui ai le rôle du salaud...

S'accroupissant, il glissa un journal froissé sous la bûche.

— Donc, tu penses que tu ferais mieux de t'en aller.

— Exactement.

— Le moment est bien choisi...

Elena ne répondit pas.

Benjamin resta un instant à regarder les flammes.

Tous deux semblaient paisibles.

— Qu'est-ce qu'on fait ? demanda-t-il. On prévient les enfants maintenant ? C'est ce que tu as en tête ?

Il reposa le tisonnier.

— A propos, où est Paul ?

— Quoi ?

— Paul, notre fils. Tu l'as appelé pour savoir s'il passait la nuit chez des amis ?

— Je croyais que tu t'en étais chargé.

— Tu veux dire que... Oh, fantastique ! Fantastique, vraiment !

— Je suis peut-être la seule à être responsable des enfants ? Tu ne travailles pas le week-end, que je sache...

— Je vais te dire, je suis heureux de savoir que je n'aurai pas à entendre ces conneries jusqu'à la fin de ma vie. Et tu n'aurais pas eu l'idée de demander à Wendy si elle était au courant des projets de son frère, par hasard ?

A cet instant précis, la porte de la bibliothèque — une antique porte coulissante dont Benjamin était particulièrement fier — s'ouvrit. Wendy entra, morte vivante, à l'image de la femme se libérant de sa tombe. Elle ne ressemblait en rien à la Wendy dont Elena se souvenait, la petite fille capricieuse mais si mignonne qui voulait constamment attirer l'attention. La fillette que tout le monde aimait. Les serveurs, les pompistes, les commerçants, les badauds... Cette fillette-là avait totalement disparu. L'adolescente qui venait d'apparaître dans la pièce semblait surgie d'un passé plus lointain. Sous les yeux d'Elena, l'image de sa mère se superposa à celle de sa fille. Sa mère descendant l'escalier, effrayée à la perspective des humiliations qui l'attendaient. Wendy, son bras tendu devant elle, son fuseau à moitié baissé, le porte-jarretelles de dentelle noire bien visible, prononçait des mots que les sanglots rendaient incompréhensibles. Elena entendit les pleurs de sa mère, aperçut son fantôme, et entrevit sa propre place dans cette escalade de folie et de détresse. Elle aussi, un jour prochain, serait enfermée dans une chambre capitonnée de Silver Meadow. A elle aussi, on ne rendrait visite que le week-end.

Tous deux se précipitèrent sur leur fille.

— Oh, *baby doll*, dit Benjamin. Mais qu'est-ce que... Ô mon Dieu...

Horrifié, il reconnut le porte-jarretelles.

— Ce n'est rien, ma chérie, dit Elena qui se tourna vers son mari. C'est une égratignure, rien de plus. Ça va se cicatriser très vite.

Elena serra le corps fluet de sa fille contre elle puis, tout en psalmodiant des incantations typiquement maternelles, détacha le porte-jarretelles, le jeta par terre et remonta le fuseau.

— Tu es sûre ? insista Benjamin. Et le tétanos ? On devrait peut-être...

Elena prit sa fille par les épaules.

— Wendy... Avec quoi as-tu fait ça ?

— Avec un rasoir. Je l'ai pris dans la salle de bains...

— La lame était neuve ?

Wendy hocha la tête.

— Tu ne devrais pas laisser traîner ces choses-là, dit Elena à Benjamin. Mets-les sous clé. Et où as-tu trouvé ce... cette lingerie ?

— Chez les Williams.

Les jambes en coton, Wendy se laissa glisser le long du mur, et ses parents s'assirent près d'elle sur la moquette humide. Elena était trop familiarisée avec la tristesse pour ne pas savoir qu'il ne servirait à rien d'étreindre Wendy. Pas tout de suite. Aucun geste, aucun mot ne saurait la réconforter sur le moment. Mais Benjamin n'épousait manifestement pas son opinion. S'il avait jusque-là été un père avare en contacts physiques, il parut soudain vouloir rattraper son retard en attirant sa fille contre lui.

Wendy, dans les bras de son père, demanda ce qui s'était passé, ce qui était arrivé à Mike, où il était, maintenant, et pourquoi, pourquoi il était parti ? La mort était inscrite en elle, désormais.

— Wendy, dit doucement Elena. Est-ce que Paul a appelé, hier soir ?

— Il a dit qu'il prendrait le dernier train, répondit Wendy entre deux reniflements.

— Les trains ne circulent sûrement pas, dit Benjamin.

— On devrait peut-être aller faire un tour à la gare. Rien que pour savoir.

— Tu ne crois pas qu'on devrait rester ici, plutôt ? Avec elle ? Si le téléphone remarche... Je pourrais y aller...

— Non, je préférerais qu'on y aille ensemble... Si jamais il y avait des problèmes, ce serait mieux.

Elle se tourna vers Wendy en souriant.

— Et au moins, il y a du chauffage, dans la voiture.

— Qu'est-ce que tu en penses, *baby doll* ? Tu as envie de venir avec ta mère et moi à la gare ? Je ne veux pas te savoir seule ici, ma chérie.

Il était presque midi quand Benjamin revint avec la Firebird. Ils y installèrent Wendy, le poignet bandé, avec une bouteille de Fanta orange et une couverture. La chienne était couchée contre elle sur la banquette arrière, la tête sur ses genoux.

La température avait encore baissé. Le soleil pâlot du matin avait disparu. Ils passèrent devant le Centre d'art et la taverne où un film publicitaire avait récemment été tourné, puis traversèrent le vieux New Canaan. Là où le paysagiste D. Putnam Bradley avait peint ses si beaux pastels. Des écrivains avaient également vécu ici : Padraic Colum, un poète d'origine irlandaise, et Robert Flaherty, explorateur de l'Arctique. Ainsi que Maxwell E. Perkins, qui avait écrit : « Nous avons connu un hiver merveilleux, à New Canaan. Presque tous les week-ends, nous patinions et jouions au hockey sur le lac gelé. »

Les week-ends heureux appartenaient effectivement au passé. D'ici peu, les Hood se disloqueraient. La moitié de la famille resterait, les autres iraient s'installer ailleurs. Peut-être que, dans les années à venir, ils passeraient leurs week-ends à jongler avec les droits de visite, tout comme les Williams. Benjamin déposerait sa fille et la retrouverait en train d'attendre devant chez sa mère, à

Wilton, ou Westport, ou Darien. Il apercevrait son ex-femme derrière le frémissement des voilages. Elena, de son côté, vendrait des cuisinières ou des assurances par téléphone, ou bien classerait des dossiers dans un bureau. Elle aurait des liaisons discrètes. Comme Benjamin. Mais pas avec Jim Williams.

A la gare de New Canaan, le terminus de la ligne, on leur apprit que le train de 23 h 10 n'était jamais arrivé, qu'il était en rade quelque part vers Greenwich.

Les Hood pressèrent l'employé de questions.

— Vous avez de la chance, annonça l'homme, ils viennent de remettre le courant sur la ligne. Les trains circulent de nouveau. Votre gars est sûrement à Stamford, en ce moment. En train de chercher un taxi.

— S'il a de l'argent sur lui, dit Benjamin.

Les deux hommes se forcèrent à rire.

Ils prirent donc la route de Stamford, très lentement.

Le mois prochain : la fin des Quatre Fantastiques. Les Quatre Fabuleux. La famille n'était qu'un jeu de miroirs. Toutes ces générations, tous ces ancêtres étaient un manteau un peu trop lourd à porter. Si seulement il pouvait tout oublier, manger de nouveau avec un bavoir et construire des petites voitures en Lego, se traîner de nouveau par terre à quatre pattes. Si seulement il pouvait se retrouver blotti dans les bras d'une fille. Libbets lui manquait. Il avait envie de fuir, de tourner le dos aux pères, aux aïeuls, à la fornication, aux femmes fatales, et à tout le reste... Il avait envie de fuir les amis.

La nuit avait été interminable. Il avait passé des heures à esquisser de vagues portraits sur un vieux journal trouvé sous la banquette. Des heures glacées, obscures. Oui, vraiment, une très longue nuit, si longue qu'il commençait à croire à ses propres mensonges. Des histoires stupides qu'il s'était racontées pour tuer le temps. Il avait fini par se persuader que ses parents et Wendy l'attendraient à son arrivée. Qu'ils seraient tous là, qu'ils se seraient fait un sang d'encre pour lui. Alors, ils l'étreindraient, lui inventeraient de nouveaux surnoms affectueux et l'emmèneraient directement manger une énorme salade de crevettes.

Mais non, la réalité serait tout autre. Dans la famille, d'une génération à l'autre, on se repassait le flambeau de l'alcoolisme, du racisme et de la bigoterie. Ses parents étaient des ingénieurs génétiques qui lui avaient inoculé les maladies dont ils avaient souffert. Il était dans la merde, et sans amis, avec une chance de survie de cinquante pour cent, pas plus.

Le train s'était remis en route à l'aube, ne dépassant pas le dix kilomètres-heure. Ils étaient arrivés à Stamford au petit matin et de nombreuses personnes, tous des paumés, avaient demandé à Paul s'il voulait qu'ils le déposent quelque part, si quelqu'un venait le chercher. Gentils et solidaires. Mais il répondait invariablement non non non, ne vous inquiétez pas, et, depuis, il errait dans la gare, de banc en banc. Il s'était évertué à sourire — oui, mes parents sont en route. Il avait montré ses derniers billets froissés à un chauffeur de taxi. C'était assez pour qu'il l'emmène à New Canaan ? Oui, ça couvrait la course, mais les routes étaient impraticables. Il fallait attendre qu'ils les dégagent.

De toute façon, Paul avait l'habitude de poireauter. Sa mère avait la sale manie d'être toujours en retard. Il n'était donc pas surpris. Bientôt, il se mettrait en route. A pied. Mais pas pour rentrer chez lui. Pour retourner à l'internat. Il marcherait, ferait du stop et ne s'arrêterait qu'en arrivant dans le Nord. Si haut dans le Nord qu'il n'y aurait même plus d'arbres, rien que du granit. Le pays des glaciers.

Quittant la salle d'attente et sa faune de losers, il retourna sur le quai qu'il arpenta de long en large. Au passage, il donna un coup de pied dans le distributeur de boissons ; on ne sait jamais, des fois que la machine cracherait les pièces qu'elle avait dans le ventre. Il donna dix cents pour aller aux toilettes se rafraîchir le visage. Retour dans la salle des pas perdus. Dix minutes d'attente. Puis de nouveau le quai.

Pourtant, il était certain que ça ne finirait pas mal ; il avait lu suffisamment de bandes dessinées pour savoir que ce genre d'histoire ne connaissait jamais de fin. Il y avait toujours un retournement de situation. Toujours une nouvelle facette du héros qui se révélait. Chaque fois que la Chose quittait les Quatre Fantastiques, elle revenait. Sa douleur et sa colère oubliées, elle plaisantait comme avant avec Stretcho, Sue et Johnny. Personne ne mourait jamais, et personne ne disparaissait jamais non plus ; aucune séparation n'était définitive, aucun malheur irrémédiable. Les bons moments revenaient toujours. Franklin ressusciterait. Reed reprendrait sa place auprès de Sue. Et Mr Doom, dont les cendres avaient été éparpillées dans l'espace, les persécuterait de nouveau en se réincarnant en inspecteur des impôts ou en concierge acariâtre.

Aussi, après avoir passé une heure à arracher les rétroviseurs des voitures de luxe devant la gare, Paul ne fut-il pas surpris de voir la Firebird rouge se garer dans le parking. La Firebird. Il sentit son visage s'empourprer. Quand sa mère sortit de la voiture, il se revit soudain, tout gosse, alors que ses parents étaient partis une semaine en les laissant, Wendy et lui, avec une virago qui, pour justifier sa cuisine déplorable, alléguait que son mari, Dieu ait son âme, avait perdu le sens du goût. En voyant sa mère descendre de la Firebird, il repensa à leur retour, quand Daisy avait hurlé pendant une demi-heure en dansant de joie dans la maison. La fête avait duré toute la journée.

Son père sortit à son tour, et Wendy poussa le siège pour descendre par la portière avant, Daisy sur ses talons. Ils se tenaient tous là, un peu gauches, avec un drôle de petit sourire. Sa famille. Son père et sa mère seraient éternellement son père et sa mère, quoi qu'il arrive. C'était toujours mieux que de passer sa vie sur un quai désert.

Mais ils ne souriaient pas vraiment. Ils regardaient le bout de leurs chaussures, grattaient la neige avec leurs bottes. Ce n'étaient pas les retrouvailles chaleureuses qu'il avait imaginées. C'était même plutôt angoissant. Il étreignit son père bouffi. Étreignit sa mère glaciale. Embrassa Wendy. Embrassa la chienne.

— Eh bien, on est contents de voir que toi, au moins, tu vas bien, dit son père. Ça fait longtemps que tu es ici ?

Pour toute réponse, Paul leva les yeux au ciel.

— On a beaucoup de choses à te raconter, ajouta Benjamin.

Tout le monde se força à rire.

— Et il n'y a pas que des bonnes nouvelles.

Ils remontèrent dans la voiture et bouclèrent leur ceinture ; le chauffage était à fond, comme s'ils avaient été privés de chaleur depuis des lustres. Daisy crapahuta sur les genoux de Wendy pour lécher l'oreille de Paul.

Puis Benjamin posa sa tête contre le volant et resta ainsi, immobile, pendant un moment. Un long moment. Et il se mit à suffoquer, ou tousser, on ne savait pas bien. Paul ne l'avait jamais vu dans un état pareil. Il crut à une plaisanterie. Ou à un problème médical. En fait, il ne savait pas quoi penser. Sa mère leva sa main gantée dans le dos de son père comme si elle allait le réconforter, ou le frapper. Difficile à dire. Sa main retomba. Benjamin, enfin, se tourna vers lui et il le regarda, puis il regarda Wendy en souriant, sans rien dire, les joues curieusement humides.

— J'ai quelque chose à vous annoncer, à tous les deux.

C'est alors qu'il y eut un signe dans le ciel. Un véritable signe. La conversation s'arrêta net quand ce signe apparut. Juste au-dessus du parking. Le chiffre 4. Flamboyant. On l'a vu partout dans le pays, au-dessus de l'église unitariste de Stamford, au-dessus du lycée de New Canaan, au-dessus de la gare de Port Chester et de la chambre de Wesley Meyers qui essayait d'écrire son sermon du lendemain. Partout. Le ciel était illuminé d'un 4 flamboyant.

Ils le virent de la Firebird. Et cette image les accompagna pendant tout l'hiver.

C'est du moins ainsi que je m'en souviens. Moi. Paul. Et cette histoire s'arrête à cet instant précis. Il faut que j'abandonne là Benjamin avec son espoir de réconciliation qu'il gardera enfoui au fond de lui-même. Il faut que je laisse Elena, ma mère, que je n'ai jamais vraiment comprise. Il faut que je quitte Wendy, incertaine, un bras autour du cou de Daisy, et que je me quitte moi-même — Paul — au seuil de l'âge adulte, à la fin de cet *annus mirabilis* où les histoires des B.D. se mêlaient à la réalité. Il faut que je les abandonne là, lui et sa famille, après tout ce temps, parce que, au bout de vingt années, il est grand temps que je les quitte.

Déjà parus

Stephen KING
La ligne verte

David WILD
Friends
Le guide officiel

Kevin ANDERSON
Aux frontières du réel - 5
Anticorps

Rob McGIBBON
Spice Power
L'histoire secrète des Spice Girls

Cet ouvrage a été composé par Euronumérique (Montrouge)
et imprimé sur Roto-Page par l'Imprimerie Floch à Mayenne
pour le compte des Éditions 84
84, rue de Grenelle, 75007 Paris
diffusion France et étranger : Flammarion

Achevé d'imprimer en février 1998

Dépôt légal : février 1998.
N° d'édition : 5031. N° d'impression : 43059.

Imprimé en France